L'action huma

I DAY

Dossier constitué par Philippe Ryfman
Professeur associé à Paris I et enseignant à l'IEP de Paris
Directeur du DESS Développement et Coopération Internationale, Paris I

HV
639
.A2

CARDIFF UNIVERSITY
29 NOV 2004
PRIFYSGOL CAERDYDD

Avant-propos

A l'aube du XXIe siècle, s'il fallait en peu de mots caractériser l'action humanitaire, on pourrait le faire d'une double manière : elle est devenue une donnée de poids dans le système des relations internationales ; elle constitue l'un de ces phénomènes de société durables qui apparaissent cycliquement dans les sociétés occidentales. La fin de la Guerre froide a encore accéléré cette tendance. Pourtant, si l'Humanitaire est devenu le nœud d'une multiplicité d'enjeux, ces derniers sont fréquemment mal perçus par les citoyens, les étudiants, les médias, voire par les décideurs (quand ce n'est pas par certains praticiens eux-mêmes). Leur identification s'avère donc une nécessité si l'on ne veut pas commettre de regrettables contresens quant à la nature réelle de l'aide humanitaire, voire, sur le plan opérationnel, s'engager dans des actions inappropriées. D'autant qu'aussi bien ses fondements intellectuels que son histoire sont encore plus mal connus, et moins mis en perspective. Ce qui n'empêche pas que décideurs, médias, grand public... sont souvent pris à témoin, voire s'impliquent, dans des controverses plus ou moins vives sur son devenir ou son échec supposé, alors qu'ils ne sont guère au fait des réalités intrinsèques des acteurs en cause.

L'explication réside probablement dans l'espèce de « familiarité » que les uns et les autres éprouvent de nos jours quand il est question d'humanitaire. Parce que, depuis les années 60 du siècle dernier, les actions de secours d'urgence et d'assistance aux populations vulnérables, en danger, en détresse, sinistrées, victimes de catastrophes naturelles ou de conflits armés ont connu une croissance exponentielle. Que pour y faire face, une gamme d'acteurs de plus en plus étendue s'est mobilisée : privés, comme les Organisations Non Gouvernementales (ONG) et la « Croix-Rouge » (1) ; publics, comme les Organisations Internationales (OI) et les Etats, lesquels ont opéré un retour en force dans le champ humanitaire. Qu'en parallèle, des dizaines,

(1) Précisons toutefois que ce terme comme celui de « Croix-Rouge Internationale » souvent utilisé, particulièrement par les médias, n'a aucune signification ni institutionnelle, ni juridique et encore moins opérationnelle. En fonction des terrains et des situations interviennent conjointement ou alternativement le Comité International de la Croix-Rouge (CICR), les Sociétés nationales de Croix-Rouge ou de Croissant-Rouge, leur Fédération Internationale (FICR). L'ensemble constitue le Mouvement International de la Croix-Rouge et du Croissant-Rouge. Pour faire court, et par commodité de langage, on contracte cependant souvent en « Croix-Rouge ».

rapidement des centaines de milliers, puis des millions d'individus (sans compter quelques bons milliers d'entreprises) ont soutenu par des donations financières conséquentes l'action des premières. Tandis que quelques dizaines de milliers d'expatriés de diverses ONG occidentales ou d'OI, ont vécu concrètement sur le terrain réalités et ambiguïtés de l'aide. Sans oublier les centaines de milliers d'employés locaux travaillant pour les uns et les autres. Qu'enfin, les médias en ont plus que largement rendu compte (2).

Cette nouvelle configuration n'est pas sans conséquences sur le fonctionnement de ce que l'on a pris l'habitude d'appeler aujourd'hui la « communauté internationale », notamment à travers l'intégration à celle-ci des ONG ou des OI. Intégration qui apporte une forme de confirmation à ceux parmi les théoriciens des relations internationales qui pensent que ces dernières sont de moins en moins inter-étatiques et de plus en plus transnationales (3).

Peut-on pour autant considérer, comme l'a souvent affirmé l'une des figures emblématiques du milieu, Bernard Kouchner, que l'Humanitaire constituerait l'une des dernières « inventions » du XXe siècle ? Tous ne partagent pas cet avis, à commencer par une autre personnalité majeure durant la période 1985-1995 de l'« Ecole humanitaire française », Rony Brauman. Il considère quant à lui que « l'aide humanitaire n'a pas vocation à être un Père Noël universel » (4). Reste qu'au moins dans le langage courant le terme « humanitaire » (avec ou sans majuscule), et employé comme quasi synonyme de ceux d'« action humanitaire » ou d'« aide humanitaire », est devenu un « mot-phare », et même un « mot-valise » du vocabulaire de la fin du siècle dernier. Le XXIe siècle, en ses débuts, ne paraît pas en reste de ce point de vue.

Son usage n'est d'ailleurs plus limité aux langues des pays « riches » du Nord, il est tout autant employé au Sud de la planète. Qu'il s'agisse de réclamer l'arrivée d'une telle aide pour des populations victimes, ou de qualifier comme telles des organisations nées localement, et se posant en concurrentes de celles du Nord. Comme les ONG humanitaires islamiques, par exemple. De dénomination initialement employée quasiment par les seuls acteurs, le vocable est donc passé au statut d'expression courante. Les médias écrits et audiovisuels en font une large consommation. Le quotidien *Le Figaro* pouvait ainsi titrer (à l'automne 1998) un article

(2) Mais tout aussi fréquemment, suivant les lieux et les populations concernés, pas du tout...

(3) Suivant le paradigme initié par les politistes américains Robert O. Keohane et Joseph S. Nye, in *Transnational Relations and World politics*, Cambridge (Etats-Unis), Harvard University Press, 1972. Un autre internationaliste célèbre, Rosenau, parle d'« acteurs hors souveraineté » pour qualifier ONG et OI : James M. Rosenau, *Turbulence in World politics*, New York, Princeton University Press, 1990, pp. 36 sq.

(4) *Le Monde* du 30 juin 1998 entretien avec R. P. Paringaux.

sur une visite du président de la République française dans des pays d'Amérique centrale qui venaient de subir les effets dévastateurs d'une catastrophe naturelle, le cyclone Mitch : « Chirac fait de l'humanitaire » (5)... Les décideurs, tant nationaux qu'internationaux, n'y font pas moins référence. Abordant, à l'occasion de la reprise de la guerre en Angola début 1999, le nouveau rôle que pourraient jouer dans ce pays les Nations Unies (après l'échec de la mission qu'elles y avaient déployée en vue de la mise en application des accords de paix de Lusaka de 1994), son représentant sur place évoqua spontanément « l'aide humanitaire », ajoutant qu'elle « devait être digne et se faire sans compromission » (6).

La remise de la distinction, éminemment prestigieuse, que constitue le Prix Nobel de la Paix à une ONG humanitaire, en l'occurrence Médecins Sans Frontières (MSF), en cette même année 1999, témoigne d'une certaine manière de cette reconnaissance symbolique au niveau mondial. Elle n'avait plus été décernée en effet à une organisation humanitaire depuis 1963, année où le Comité International de la Croix-Rouge, conjointement avec ce qui était alors la Ligue (7) des Sociétés de la Croix-Rouge et du Croissant-Rouge, avait été honoré (8). Le fait que le XXe siècle, avec son cortège de génocides, de guerres, d'atrocités innombrables, de catastrophes naturelles, aux conséquences souvent terribles, ait débuté avec comme premier Prix Nobel de l'histoire ce héros éponyme de l'Humanitaire que fut Henry Dunant, pour, presque à son terme, voir distinguer une association perçue comme emblématique du même Humanitaire (MSF), ne relève guère du paradoxe. C'est en effet le fondateur, ou en tout cas le concepteur de ce qui deviendra le Mouvement de la Croix-Rouge (et plus tard, du Croissant-Rouge) qui fut honoré lors de la première attribution du Prix en 1901 (9). A titre individuel et collectif, pour le pionnier qu'il fut et ce que son « œuvre » (ainsi qu'il la nommait) était déjà devenue au bout de presque quatre décennies. MSF l'a été aussi, en partie, pour le profond renouvellement que sa création et son ascension ont provoqué dans le champ humanitaire. Et pour le bilan de son action, après à peine trois décennies. Mais si le Nobel est avant tout symbolique, le choix du lauréat par le Parlement norvégien n'est jamais dû au hasard, et répond à des objectifs précis. A travers cette ONG, c'est l'Humanitaire contemporain en son entier qui s'est trouvé distingué, plus particulièrement dans sa composante non gouvernementale.

(5) 17 novembre 1998.
(6) *Le Monde* des 17-18 janvier 1999.
(7) Aujourd'hui Fédération internationale.
(8) Le CICR avait déjà obtenu deux fois précédemment le Nobel, en 1917 et en 1944, c'est-à-dire durant les deux guerres mondiales du siècle passé.
(9) Conjointement avec le Français Frédéric Passy, militant pacifiste et fondateur de l'Union Inter-Parlementaire, personnalité assez injustement oubliée aujourd'hui. La fin de l'année 2001 verra la célébration de ce centenaire.

Ce qui atteste bien qu'il faut se garder de commettre l'erreur de le considérer comme un domaine figé. Au contraire, il est en constante et rapide évolution. Le paysage humanitaire de ce début de troisième millénaire s'est déjà notablement transformé par rapport à ce qu'il était durant les années 80 et 90. Non seulement les acteurs sont aujourd'hui multiples et en interrelations constantes, mais des changements majeurs s'opèrent en leur sein même.

Ainsi, un certain nombre d'ONG des pays occidentaux sont le lieu d'un phénomène d'internationalisation dont toutes les conséquences ne sont pas encore mesurables. La transition de l'ONG américaine CARE (qui s'appelait encore *Cooperative for American Relief Everywhere*) a ainsi commencé en 1979. Outre les Etats-Unis, neuf autres CARE existent dorénavant en Allemagne, Australie, Autriche, Canada, Danemark, France, Japon, Norvège et Royaume-Uni. Cette mue s'est symboliquement traduite par un changement de dénomination au début de la décennie 1990 (le troisième depuis sa naissance en 1945), avec la suppression de toute référence à son origine américaine, puisque le sigle signifie aujourd'hui *Cooperative for Assistance and Relief Everywhere*. L'ONG, initialement seulement britannique (ou plutôt anglo-irlandaise) OXFAM entamait également sa métamorphose à la même époque pour aboutir progressivement à la création d'autres OXFAM en Belgique, Canada, Etats-Unis, Hong Kong, Irlande, Nouvelle-Zélande... La coordination est assurée par un secrétariat international localisé au siège d'OXFAM-Grande-Bretagne, à Oxford.

De l'autre côté de la Manche, MSF précisément a franchi à son tour le cap durant les années 1980. Aujourd'hui, Médecins Sans Frontières constitue un véritable « mouvement international » composé de vingt « sections » : Allemagne, Autriche, Australie, Belgique, Canada, Danemark, Emirats Arabes Unis, Espagne, Etats-Unis, France, Hong Kong, Italie, Japon, Luxembourg, Pays-Bas, Royaume-Uni, Norvège, Suède et Suisse. Un bureau international assure pour partie des fonctions de coordination à partir de son siège fixé (comme pour CARE) en Belgique, à Bruxelles. Une autre grande ONG humanitaire française, Médecins du Monde (MDM), aujourd'hui, outre la France, comprend onze « délégations » ; huit en Europe (Belgique, Chypre, Espagne, Grèce, Italie, Portugal, Suède et Suisse), et trois sur le continent américain (Argentine, Canada et Etats-Unis). Le réseau international d'Action Contre la Faim se compose lui de trois « sièges » (on remarquera à chaque fois l'usage de mots différents pour désigner une même réalité) : deux en Europe (Espagne et Royaume-Uni), un aux Etats-Unis. Handicap International depuis la France a essaimé dans cinq pays (Allemagne, Belgique, Luxembourg, Royaume-Uni et Suisse)...

Autre facteur profond de transformation : si l'Humanitaire relève fondamentalement pour nombre de ceux qui s'y investissent personnellement d'une culture de l'engagement, les processus de professionnalisation, de recherche de l'efficacité, de mise en œuvre de « bonnes pratiques », s'accélèrent.

Le temps de l'« Humanitaire commando » et de volontaires pétris de bonne volonté, mais dépourvus de réels moyens, hormis un unique et antique téléphone dans un hôtel minable d'une petite ville perdue semble de plus en plus révolu... Même si beaucoup (surtout dans les ONG) éprouvent de la nostalgie pour cette époque, et que certains tentent contre vents et marées d'en maintenir la tradition ou s'y trouvent contraints par l'absence de réelle base financière (10). Poursuite d'un objectif de qualité au service des bénéficiaires de l'aide, et exigences des bailleurs se combinent pour marginaliser les derniers tenants de cette position.

Des outils de communication (radio, valises-téléphones satellitaires, informatique, Internet, téléphones portables...) aux moyens de transport (camions, 4x4), en passant par les avions, hélicoptères et bateaux affrétés, l'aide se marque sur le terrain par une visibilité de moyens que certains d'ailleurs dénoncent comme un luxe. Certaines actions humanitaires voient ainsi des déploiements de capacités opérationnelles considérables. La Somalie, en 1991/1992, le Kivu (avec les camps de réfugiés rwandais, particulièrement autour de la ville de Goma, dans l'ex-Zaïre aujourd'hui Congo démocratique) en 1994/1996 ou encore le Kosovo en 1999/2000, sont devenus emblématiques de ce point de vue. Des armadas d'avions et des norias de camions s'y sont succédé durant des semaines, voire des mois. Des centaines d'ONG, des dizaines d'OI, relevant ou non des Nations Unies, y ont afflué. L'Humanitaire d'Etat de plusieurs pays, dont la France, dans ses composantes civiles comme militaires, y a aussi été massivement présent. De même que le CICR et l'Union européenne à travers son Office humanitaire, ECHO.

Combinés à de réels efforts de formation des personnels, ainsi qu'à l'application de plus en plus fréquente de "*guidelines*" et même de codes de conduite, ces moyens décuplés et souvent hautement performants, s'ils sont considérés quasiment par tous les intervenants comme inhérents aujourd'hui à l'acte humanitaire, suscitent néanmoins chez d'aucuns une vive inquiétude. Notamment celle d'une technicisation et d'une réglementation excessives de l'aide, voire d'une bureaucratisation qui l'éloignerait du récipiendaire, en tant qu'être humain doté d'une personnalité, d'une identité et de droits propres, et non simple victime souffrante et anonyme. La crainte d'un envahissement par les moyens est, avec quelques autres, l'un des grands sujets de débat dans le milieu humanitaire.

(10) C'est le cas pour de petites ONG.

Enfin dernier exemple d'évolution en cours : le domaine même de l'action humanitaire tend à s'élargir au-delà des conflits armés internationaux et non internationaux ou des catastrophes naturelles, auxquels on le cantonne rituellement. Qu'il s'agisse du lien avec des programmes d'aide au développement dans divers pays du Sud. Ou à partir de la vision élargie que se font aujourd'hui certains acteurs, comme des ONG, de leur action. Ainsi, de la campagne contre les mines antipersonnel menée par Handicap International et quelques dizaines d'autres associations dans le monde ; de celle sur l'accès aux médicaments essentiels et aux génériques contre le sida, de MSF ; ou pour de nouvelles mesures en faveur de la protection des populations civiles, de MDM.

Pour autant demeure ouverte de manière quasi permanente la question, non résolue, de savoir si un espace humanitaire réel et autonome qui seul permet aux acteurs (particulièrement les ONG et la « Croix-Rouge ») d'agir avec un minimum d'efficacité (et dans le respect des principes humanitaires) pourra être préservé. Son existence même est en effet de plus en plus contestée dans plusieurs régions du globe. De l'Afghanistan au Caucase. De l'Afrique des Grands Lacs à la Colombie. La réponse appartient d'abord à la « communauté internationale » et aux responsabilités qu'elle est prête ou non à prendre pour permettre aux divers intervenants à la fois de renforcer leur poids et leurs capacités d'autonomisation. Un « pôle » (11) humanitaire existant en propre et fort du dynamisme de ses différentes composantes pèserait immanquablement d'un poids accru sur la scène internationale, et la voix des victimes en serait proportionnellement d'autant moins négligée.

Nul ne peut prédire ce que sera l'Humanitaire du XXIe siècle mais s'il veut être à la fois adulte et responsable, il devra de toute façon rester attentif aux évolutions du monde, comme aux siennes propres. Mais disponible aussi (en se gardant de céder pour autant aux effets de mode) pour les concepts nouveaux que sa position particulière sécrète toujours. Sans pour autant répudier un passé déjà riche et dont il n'a pas, loin de là, finalement à rougir. De ce point de vue, il serait souhaitable que l'« Ecole humanitaire française » (12) forte des expériences acquises au cours des dernières décennies puisse, sans chercher à s'ériger en modèle, continuer d'y contribuer.

Philippe Ryfman

(11) On peut se reporter à ce propos à notre ouvrage, Philippe Ryfman, *La Question Humanitaire. Histoire, problématiques, acteurs et enjeux de l'aide humanitaire internationale*, Paris, Ellipses, 1999.
(12) A travers ONG, Humanitaire d'Etat, praticiens, chercheurs, analystes...

Glossaire

ACF : Action Contre la Faim

ACM : Actions Civilo-Militaires

ACP : Afrique/Caraïbes/Pacifique (pays liés à l'Union européenne par les accords autrefois dits de Lomé, et aujourd'hui dits de Cotonou)

APD : Aide Publique au Développement

ASI ou **OSI :** Association ou Organisation de Solidarité Internationale (autre terme en France pour ONG)

CAD : Comité d'Aide au Développement de l'OCDE

CARE : Cooperative for Assistance and Relief Everywhere

CCFD : Comité Catholique contre la Faim et pour le Développement

CICR : Comité International de la Croix-Rouge (ICRC, en anglais)

DFID : Department for International Development [Grande-Bretagne]

DIH : Droit International Humanitaire

ECHO : European Community [Commission] Humanitarian Office (Office Humanitaire de la Communauté [Commission] Européenne)

FICR : Fédération Internationale des Sociétés de la Croix-Rouge et du Croissant-Rouge (IFRC, en anglais)

HCR : Haut Commissariat des Nations Unies pour les Réfugiés (UNHCR, en anglais)

HI : Handicap International

INTERACTION : Coordination centrale des ONG américaines

MAE : Ministère des Affaires Etrangères [France]

MDM : Médecins du Monde (-F : France ; -E : Espagne,...)

MSF : Médecins Sans Frontières (-F : France ; -B : Belgique ; -H : Pays-Bas...)

OCDE : Organisation de Coopération et de Développement Economiques

OCHA : (United Nations) Office for the Coordination of Humanitarian Affairs (Bureau de Coordination des Affaires Humanitaires des Nations Unies)

OMS : Organisation Mondiale de la Santé (WHO, en anglais)

ONG : Organisation Non Gouvernementale (NGO, en anglais)

ONU : Organisation des Nations Unies

OXFAM : Oxford Committee for Famine Relief

PAM : Programme Alimentaire Mondial (WFP, en anglais)

PNUD : Programme des Nations Unies pour le Développement (UNDP, en anglais)

SUD : Solidarité, Urgence, Développement, ou encore Coordination Sud [Coordination centrale des ONG françaises de solidarité internationale]

UNICEF/FISE : United Nations Children's Fund (Fonds des Nations Unies pour l'Enfance)

USAID : United States Agency for International Development [Etats-Unis].

VOICE : Voluntary Organisations in Cooperation in Emergencies [Coordination européenne d'ONG]

Deux siècles d'histoire pour un mot-phare
Un concept en renouvellement constant

L'humanité des Lumières

Rufin (Jean-Christophe)*. – L'aventure humanitaire, 2e édition, *Paris, Gallimard, coll. « Découvertes », 2001, pp. 29-36 (extrait).*

Au milieu du XVIIIe siècle, les cataclysmes ne sont plus la manifestation de la toute-puissance divine mais, pour les philosophes, la preuve que l'homme ne peut compter que sur lui-même. (…)

Contre la fatalité d'un ordre naturel

L'esprit des Lumières se révolte contre une Providence dont il ne peut plus concevoir la bonté lorsqu'elle frappe avec un tel aveuglement. A l'irrationnel du destin répond l'obscurantisme de religions encourageant la superstition. « Après le tremblement de terre [de 1755] qui avait détruit les trois quarts de Lisbonne, poursuit Voltaire, les sages du pays n'avaient pas trouvé un moyen plus efficace pour prévenir une ruine totale que de donner au peuple un bel autodafé ; il était décidé par l'université de Coïmbre que le spectacle de quelques personnes brûlées à petit feu, en grande cérémonie, est un secret infaillible pour empêcher la terre de trembler. »

Les philosophes tentent d'opposer à cette soumission aux chimères de la superstition l'idée d'un homme dont l'activité est fondée sur la raison et qui rejette la fatalité d'un ordre naturel. Dans le domaine politique, il se dresse contre la tyrannie, l'inégalité de naissance et s'ouvre aux turbulences d'une Histoire qu'il doit lui-même écrire. Dans le domaine philosophique, imprégné du récit des voyageurs du Nouveau Monde qui ont rencontré les indigènes, il découvre la fraternité avec des hommes lointains, dissemblables, ignorants de sa foi, mais n'en étant pas moins des hommes.

Le concept d'« humanité », apparaît à cette époque. Il désigne à la fois la totalité du genre humain, l'attention qu'on lui porte et le devoir d'améliorer son sort. A partir de 1830 environ, avoir de l'« humanité » se dira « être humanitaire ».

Lumières, humanitaire et démocratie

La charité, vertu chrétienne, était compatible avec l'ordre inégal et immuable de la création. Au contraire, l'humanité prend cet ordre pour cible lorsqu'elle le considère

* Médecin, essayiste et écrivain. Ancien vice-président de Médecins Sans Frontières.

injuste ou pénible à l'homme. Cette « vertu sans religion » a pour ambition d'élever l'homme, tout l'homme et tous les hommes, dans toutes leurs dimensions – politique, morale, matérielle.

Elle est à la racine de trois grands défis. Le premier est la révolution politique ; le second est à la fois la bienfaisance, l'éducation, l'élévation des classes les plus pauvres ; le dernier est l'action humanitaire. C'est en apparence le moindre des trois. Pourtant cette action humanitaire est l'expression de la plus haute ambition des Lumières : celle qui pousse à contester l'ordre du monde dans ses manifestations les plus convulsives, en apparence les plus surnaturelles, celle qui conduit les hommes au voisinage de grands gouffres : les guerres, les catastrophes naturelles, les famines. L'humanitaire moderne, né d'une révolution mentale, celle des Lumières, et de quelques révolutions politiques, notamment française et américaine. L'humanitaire qui sort tout armé du XVIIIe siècle marque une rupture radicale avec le domaine de la charité chrétienne.

L'humanitaire forme avec la démocratie un couple indissociable. L'une comme l'autre naissent à la même source philosophique. Et l'humanitaire est en quelque sorte la part universelle de la démocratie. En rôdant dans les régions extrêmes, lointaines, celles du malheur et de l'altérité, l'humanitaire témoigne de la valeur universelle des Lumières et cherche à empêcher que ne se reconstituent des zones d'obscurité d'où la religion, dans sa forme superstitieuse, pourrait tirer une nouvelle puissance. C'est un combat essentiel qui se joue sur ces extrêmes.

Avant de libérer l'homme, les révolutions politiques lui apportent de nouvelles épreuves (...)

En revanche, les principes démocratiques sur lesquels est fondée la jeune société américaine, la quasi-égalité des conditions sociales dans le Nouveau Monde constituent un terrain propice au développement de l'esprit humanitaire. De même, la période d'expansion économique que connaît alors le nouveau continent est également favorable à cet élan vers l'extérieur et vers autrui, caractéristique de l'esprit de l'aide humanitaire.

L'Amérique, démocratie paisible, terre naturelle de la philanthropie

Dès 1793, une première grande opération de secours est réalisée en faveur d'aristocrates français chassés de Saint-Domingue par une révolte d'esclaves. Ces premiers « boat people » sont recueillis et secourus en Floride. D'abord accueillis spontanément par la population, les réfugiés par milliers reçoivent des vivres, des soins et des logements. L'aide provient ensuite des municipalités, puis des Etats. Enfin, le Congrès vote des crédits de secours. C'est le début de la longue histoire de l'aide humanitaire aux Etats-Unis.

En 1812, le tremblement de terre survenu à Caracas suscite une vaste opération de secours provenant des Etats-Unis par bateaux. Cette aide apportée au Venezuela frappé par la catastrophe naturelle est également pour les Américains une occasion de montrer leur intérêt au nouveau gouvernement indépendantiste de ce pays. Mettant en pratique de manière anticipée la doctrine qui sera énoncée par Monroe (les Américains sont seuls responsables des affaires de leur continent), les Etats-Unis souhaitent étendre leur influence en Amérique latine et réduire celle de l'Espagne. L'intervention humanitaire se double déjà d'un intérêt politique et économique. Il en va de même pour le soutien apporté aux Grecs au cours de la guerre gréco-turque en 1821 et en Irlande pendant les famines. Il s'agit d'un humanitaire qui n'a pas encore sa propre identité.

Henry Dunant et la naissance de la Croix-Rouge

Ryfman (Philippe). – La question humanitaire. Histoire, problématiques, acteurs et enjeux de l'aide humanitaire internationale, *Paris, Ellipses, 1999, pp. 34-37 (extraits).*

L'histoire de cet homme hors série, à la fois prototype de l'élite dirigeante protestante de ce canton suisse (Genève), en même temps que personnage parfaitement atypique dans ce même milieu, est assez bien connue (même si certains aspects en sont encore ignorés, et demanderaient une recherche approfondie), tant il est identifié avec les seules huit années qui vont de 1859 à 1867, au cours desquelles il va forcer le destin. (...)

L'action humanitaire se nourrit d'ailleurs volontiers de ces héros éponymes qui introduisent une faille révolutionnaire dans un contexte qui *a priori* ne s'y prête guère, en imaginant de nouveaux concepts et méthodes d'actions. On le sait, la présence de Dunant sur le champ de bataille de Solferino le 24 juin 1859 ne devait rien à une impulsion généreuse, et tout au hasard, ou plutôt à la poursuite d'un objectif financier que ce jeune homme d'affaires suisse (il est à ce moment-là âgé de 31 ans) tentait de réaliser dans l'Algérie d'alors. Confronté au refus de l'administration coloniale française de lui allouer des terres pour l'une de ses entreprises (la Société des Moulins de Mons-Djemila) il a alors l'idée, assez saugrenue, de s'adresser au plus haut niveau, c'est-à-dire à l'empereur Napoléon III en personne.

Celui-ci vient d'entrer en campagne aux côtés du Royaume de Piémont-Sardaigne contre l'Empire autrichien qui occupe encore une part notable de l'Italie du Nord. Dunant se met donc à sa recherche à travers l'Europe, et se retrouve au beau milieu de la bataille la plus sanglante que connaît le continent depuis Waterloo (1). Bouleversé par le spectacle des agonisants et des blessés laissés sans soins, il improvise avec l'aide de quelques habitants des villages voisins un sommaire service de secours pour soigner indistinctement les victimes des deux camps. Aujourd'hui, nul n'oserait contester qu'il faille ainsi procéder en situation de conflit (2). Mais, à une époque où les nationalismes s'affirmaient de plus en plus puissamment, il s'agissait d'une idée profondément novatrice, et la première des quatre avancées conceptuelles qui vont constituer durant un siècle les clefs de l'action humanitaire. La seconde consistera en la mise en avant de la neutralité du sauveteur qui, du fait à la fois de sa fonction et de sa nationalité, peut intervenir auprès des blessés, quelle qu'en soit l'origine nationale. La troisième innovation majeure, ce sera la recherche d'un soutien des opinions publiques (des sociétés civiles dirait-on aujourd'hui) pour faire pression sur les gouvernements.

Rentré dans sa ville natale et ayant abandonné ses projets commerciaux, le Genevois médite intensément sur l'expérience qu'il a vécue, et en tire un livre *Un souvenir de Solferino*. Il l'édite à compte d'auteur en 1862 et, pour assurer au maximum sa propagation, le diffuse gratuitement. Cet ouvrage singulier qu'on ne lit plus guère

(1) Six mille morts et près de quarante mille blessés français, italiens et autrichiens laissés sur le champ de bataille, après quinze heures de combat sont les chiffres classiquement cités.
(2) Même si sur le terrain, on constate quasi-quotidiennement que cela est loin d'être toujours le cas...

aujourd'hui (3) est un amalgame curieux de « Fabrice à Waterloo », d'hagiographie du guerrier courageux et de récit de l'expérience concrète de l'auteur. En dépit de son style quelque peu ampoulé (mais qui correspondait bien à la sensibilité de l'époque), il rencontre un succès énorme sur un terreau, nous l'avons vu, déjà bien préparé. Toute la presse européenne en parle et les grands esprits du temps (de Victor Hugo à Dickens) en recommandent la lecture. Ce triomphe « médiatique » va permettre à Dunant de faire aboutir sa quatrième idée révolutionnaire : la constitution en pratique de « sociétés de secours dont le but serait de faire donner des soins aux blessés en temps de guerre par des volontaires zélés, dévoués et bien qualifiés pour une pareille œuvre... Des sociétés de ce genre, une fois constituées, et avec une existence permanente, demeureraient naturellement inactives en temps de paix, mais elles se trouveraient tout organisées, vis-à-vis d'une éventualité de guerre (4) ». Ce mélange de volontarisme et de concret constituera dorénavant une constante chez bien des acteurs de l'action humanitaire.

A compter de cette publication, le cours des choses va considérablement s'accélérer et tout va sembler réussir à l'« œuvre (5) » que va créer Dunant, au moins jusqu'aux années 20 du siècle suivant. Dès février 1863, se constitue ainsi autour de lui un « Comité International de Secours aux blessés », embryon du futur Comité International de la Croix-Rouge (CICR). Deux autres personnalités s'en détachent. Un général de l'armée suisse d'abord, Guillaume- Henri Dufour, qui apporte sa connaissance des réalités militaires du temps, et cautionne en quelque sorte le groupe vis-à-vis de l'*establishment* militaire européen, plus que méfiant. Et surtout, un des premiers grands avocats d'affaires internationaux, Gustave Moynier. Organisateur hors pair, il sera la véritable cheville ouvrière de la Croix-Rouge pendant plus de quarante ans (6). Le Comité prend immédiatement deux initiatives parallèles, caractéristiques de ce que sera la « marque de fabrique » Croix-Rouge durant un siècle.

En premier lieu, il réunit, huit mois après sa création, en octobre 1863 donc, diverses personnalités œuvrant dans le domaine de l'action charitable et de la médecine. Dans un fort climat d'enthousiasme et d'utopie très dix-neuviémiste, elles décident de constituer dans divers pays des Sociétés de Secours aux blessés, composées de volontaires qui ne pourront ni être attaqués, ni faits prisonniers, pense-t-on, car ils seront « neutres ». Le succès de la rencontre dépasse les espérances de ses promoteurs.

Ceux-ci se trouvent enhardis pour faire aboutir leur seconde démarche : créer des normes juridiques, internationalement reconnues et respectées, permettant aux sociétés de secours naissantes de mener leur action d'assistance. A cette fin, et forts du fait que des représentants de plusieurs Etats avaient assisté (comme observateurs) à la réunion d'octobre, ils convoquent pour le mois d'août suivant rien moins qu'une Conférence Internationale des Etats qui comptent alors sur la planète ! En deux semaines, celle-ci aboutit à la signature par les douze principales puissances de l'époque, le 22 août 1864, de la Première Convention de Genève (intitulée « Convention pour l'amélioration du sort des militaires blessés dans les armées en campagne »). C'était la première pierre d'une construction juridique sophistiquée

(3) La seule réédition récente, en français, date de 1986 dans la collection de poche des éditions L'Age d'Homme, maison lausannoise (Helvétie oblige...) même si fondée par un exilé de l'ex-Yougoslavie. L'éditeur a eu la bonne idée de rassembler dans une seconde partie, sous le titre « L'avenir sanglant », divers écrits ultérieurs de Dunant rédigés entre 1864 et 1897, et dont la lecture permet de suivre l'évolution, parfois assez curieuse, de sa pensée.
(4) *Un Souvenir de Solferino, op. cit.*, p. 101-102.
(5) C'est le terme qu'il emploie.
(6) Il présidera le CICR de 1864 à 1910 !

qui recevra, bien plus tard, le qualificatif de « droit international humanitaire ». Le retentissement de ce premier texte fut en tout cas, là aussi, considérable dans l'Europe d'alors.

Dès cette même année 1864, une dizaine de sociétés nationales de secours aux blessés sont en voie de constitution. Le mouvement essaime rapidement hors d'Europe : la Croix-Rouge américaine par exemple sera fondée en 1881. Créer une société nationale apparaît visiblement aussi pour les élites de certains pays comme l'un des symboles de l'entrée dans la « modernité ». Ainsi en est-il dans le Japon de l'ère Meiji, où la Croix-Rouge locale comptera à la fin du siècle 900 000 membres ! Le Comité originel prend quant à lui en 1875 le nom de « Comité International de la Croix-Rouge » (CICR), qu'il porte encore aujourd'hui.

A cette nouvelle institution, il fallait un emblème : ce sera sur un drapeau blanc (qui en Europe depuis des centaines d'années, outre sa signification de cessation des combats, protégeait les parlementaires sur le champ de bataille) une croix de couleur rouge. Certains ont voulu y voir la bannière helvétique inversée (7). En tout cas, il semble avéré que pour Dunant et les fondateurs, le choix de la croix n'avait aucune signification religieuse chrétienne. Néanmoins, il fut considéré comme tel par les armées ottomanes lors des guerres balkaniques de la fin du XIXe siècle. Le Comité de Genève proposa alors en 1877 l'utilisation du Croissant Rouge par les sociétés de pays musulmans. Ce fut Moynier qui en prit l'initiative, puisque Dunant avait déjà disparu de la scène. Depuis lors, le croissant coexiste avec la croix comme image du Mouvement.

(7) I. Vichniac, *Croix-Rouge. Les Stratèges de la bonne conscience,* Paris, Alain Moreau, 1988, p. 45. A. Desthexhe, dans *L'Humanitaire impossible ou deux siècles d'ambiguïté*, Armand Colin, Paris, (1993), signale pourtant que le gouvernement suisse, au départ, fut plus que réservé (p. 219. note 17).

La Guerre de 14 : de la protection des prisonniers de guerre à celle des internés civils

Becker (Annette)*. – Oubliés de la Grande Guerre. Humanitaire et culture de guerre 1914-1918. Populations occupées, déportés civils, prisonniers de guerre, *Paris, Editions Noêsis, 1998, pp. 181-190 et 255 (extraits).*

L'organisation genevoise du CICR

A partir de Genève, le CICR (Comité international de la Croix-Rouge) organise de façon spectaculaire son agence internationale des prisonniers de guerre. On peut classer en trois rubriques cette activité inlassable. Le premier cercle est celui du renseignement. Savoir, faire savoir aux familles et les mettre en contact avec les prisonniers. (...)

* Historienne. Professeur à l'Université de Lille-3.

Les deux cercles suivants font sortir le CICR de Genève. D'une part il intervient en faveur des prisonniers pour l'amélioration de leur sort, en envoyant des délégués enquêter dans les camps eux-mêmes. D'autre part il intervient diplomatiquement, soit en s'alliant à d'autres neutres de l'action humanitaire comme la papauté, la Suisse, l'Espagne, la Suède, le Danemark, les Pays-Bas, soit en tentant de faire pression au nom des conventions anciennement signées par les différents belligérants. (...)

Le 7 septembre 1914, la première liste de prisonniers français en Allemagne est apportée au comité à Genève, qui comprend alors un effectif de 16 personnes. Le mois suivant elles seront 200, puis 1 200. (...)

Le courrier journalier atteint 30 000 lettres aux pires moments. Pour certaines personnes, on reçoit plus de 30 lettres de demande de renseignement. Rapidement, l'agence décide de ne prendre en considération que les lettres des familles ou émanant des Croix-Rouges nationales. En effet des personnes ou agences cherchaient à tirer profit des renseignements qui leur avaient été donnés bénévolement. Les *mercanti* de la détresse ont toujours su exploiter le filon de l'humanitaire. Le CICR fonctionnant tout à fait gratuitement, il était tentant de promettre monts et merveilles à des familles peu informées et jugeant les démarches trop difficiles. Malgré la rigueur du CICR, ces abus continueront pendant toute la guerre et après, y compris pour la recherche et l'exhumation des cadavres.

Le CICR, comme toutes les autres œuvres de guerre, dépend évidemment des dons financiers qui permettent son fonctionnement. Chaque trimestre, le point est fait sur les appels et leur rendement, au niveau international et national. Mais les actions humanitaires sont évidemment gratuites pour ceux qui en bénéficient, même si les dons au CICR sont acceptés de la même façon que les offrandes qui accompagnent certaines lettres de remerciement au Vatican. (...)

La première tâche humanitaire a bien été de faire correspondre les prisonniers et leurs familles, de mettre en contact, d'une certaine façon, le front et l'arrière. Car les fronts se sont en quelque sorte retournés. N'est-ce pas les familles qui sont à l'avant maintenant, en première ligne de souffrances et de combats, pour savoir, pour aider, pour aimer, alors que les prisonniers ont l'impression qu'ils sont à l'arrière, inutiles, loin des combats, travaillant dans la culpabilité pour l'effort de guerre de leur ennemi ? Les organisations humanitaires doivent, pour aider, persuader et les prisonniers et leurs familles qu'ils sont désormais à part, devenus des neutres, comme eux ; ils doivent leur prouver qu'ils ont désormais des droits et des devoirs non en tant qu'Allemands ou Français, par exemple, mais en tant que prisonniers.

Toute l'immense ambiguïté de l'action humanitaire est ainsi posée : car à aucun moment les prisonniers et leurs familles ne cessent de penser selon leur ligne nationale. Non seulement ils sont persuadés que l'ennemi fait toujours le mal, même aux blessés, même aux prisonniers, mais encore ils soupçonnent les organisations humanitaires de choisir leur camp et des témoignages à géométrie variable, toujours en faveur de l'autre, bien évidemment. Chez tous les belligérants, par exemple, des prisonniers étaient tués, ou achevés en cas de blessure, sur le champ de bataille. Des prisonniers en avaient été souvent témoins et ne pouvaient que porter cette violence tout au long de leur internement.

La notion de neutralité est ici en cause. Chacun des belligérants est tellement persuadé de la justesse de son combat pour le droit et la civilisation qu'il ne peut guère imaginer que l'on soit hors du combat, neutre, sans avoir fait au moins un choix secret que l'on essaie de valoriser. S'ils acceptent bien le CICR quand celui-ci, par exemple, leur facilite la communication postale, en revanche ils mettent en doute ses dires et son action dès qu'il pourrait y avoir contrepartie : puisque seules les puissances de l'Entente/les puissances centrales traitent mal les prisonniers, pourquoi y aurait-il enquête dans les camps du Maroc/de Prusse orientale ? On ne peut pas *penser* la neutralité ; elle est donc *impensable*.

Les obstacles rencontrés par l'humanitaire ont une autre source, celle des gouvernements eux-mêmes. En France, dès le début de la guerre, des consignes très précises ont été données pour ne pas se faire faire prisonniers. Par la suite, tous les gouvernements ont eu un souci presque exclusif, dès avant Clemenceau en 1917, celui de « faire la guerre », et tout y était subordonné. Pendant le seul grand débat sur les prisonniers qui ait eu lieu à la Chambre des députés en France, le 11 janvier 1918, le président du Conseil et ministre de la Guerre Clemenceau est très clair : « Permettez-moi de vous dire que notre sollicitude la plus affectueuse et la plus énergique est acquise d'avance aux familles des disparus et des prisonniers ainsi qu'aux disparus et aux prisonniers eux-mêmes, dans toute la mesure où elles pourront s'exercer. (*Applaudissements*) (1) » Les applaudissements notés par le secrétaire de séance devaient se partager également entre ceux qui appuyaient la sollicitude du « Tigre » et ceux qui pensaient qu'il fallait garder de la « mesure » sur un sujet qui n'était pas si fondamental.

On peut même se demander si le GQG ne profitait pas psychologiquement quelque peu du régime très dur des prisonniers français en Allemagne : les soldats terrorisés par ce qu'ils en entendaient dire étaient prêts à tout pour ne pas être faits prisonniers et cela entretenait une haine des Allemands tout à fait patriotique en des temps de fléchissement du moral lors d'offensives meurtrières qui pourraient être jugées mal préparées par les soldats. Mieux, des rapports extrêmement exagérés sur les « atrocités » dans les camps voyaient leur circulation facilitée, pour les mêmes raisons. On comprend bien ainsi que le sort des prisonniers ne constituait pas une préoccupation gouvernementale prioritaire, encore moins pour les Allemands qui en avaient assez peu et donc peu de familles éplorées à satisfaire mais qui au contraire savaient jouer de la dureté des représailles pour faire pression sur les Français.

Les organisations humanitaires se trouvaient prises entre des familles appelant au secours et des gouvernements qui avaient su relativement bien s'accommoder de leurs prisonniers : leur marge de manœuvre était donc étroite. C'est pour cela qu'elles tenaient avant tout à une information de première main. Le CICR institua les visites/inspections des camps, suivi par les organisations religieuses, catholiques, comme la mission catholique suisse, ou protestantes, comme l'Union chrétienne des jeunes-gens. Les puissances protectrices – Etats neutres dans le conflit comme l'Espagne ou les Etats-Unis jusqu'en 1917 – peuvent aussi visiter les camps.

Visites des camps : CICR, puissances neutres, organisations religieuses

Dès la fin de l'année 1914, des délégués du CICR ont été envoyés en mission dans les camps de prisonniers. Leurs rapports sont une source précieuse à la fois sur les conditions d'emprisonnement et sur les difficultés de l'enquête humanitaire, bien plus, de l'action qui devrait en découler. La mise en place des missions a dû être précédée de négociations ardues car les autorités françaises pas plus que les allemandes ne souhaitaient ces visites par les membres du Comité international.

(1) Chambre des députés, séance du 11 janvier 1918, p. 25.

Par ces visites et ces rapports, le CICR franchit une étape de plus dans son action, mais qui dépend toujours de la bonne volonté des gouvernements, aucun texte officiel ne les prévoyant. Ce sera un aspect décisif de la mise en pratique de mesures humanitaires spécifiques qui seront négociées par les différents gouvernements à partir de 1916 : rapatriements des grands blessés, transferts en Suisse de blessés et de pères de familles nombreuses, puis, en 1918, de prisonniers ayant subi une « trop longue » captivité. En pleine offensive du printemps 1918, Allemands et Français négociaient à Berne les plus importants échanges et rapatriements de la guerre. (...)

Prise en charge civils prisonniers

En septembre 1917, le président Ador convoque à Genève une conférence des Croix-Rouges des pays neutres qui doit spécifiquement évoquer la question des civils prisonniers :

Les internés civils sont une innovation de cette guerre ; les traités internationaux ne les avaient pas prévus. Au début de la guerre il a pu être logique de les immobiliser pour retenir les suspects ; quelques mois eussent suffi, semble-t-il, pour séparer l'ivraie du bon grain. On doit, à différents points de vue, assimiler aux internés civils les civils déportés en pays ennemis, ainsi que les habitants des territoires occupés par l'ennemi. Ces civils sont privés de liberté et leur situation ne diffère guère de celle des prisonniers. Après 3 ans entiers de guerre, nous demandons que ces différentes catégories civiles de la guerre soient l'objet d'une attention spéciale et que leur sort, à certains égards plus cruel que celui des prisonniers militaires, soit envisagé sérieusement avant le quatrième hiver de guerre (2).

(2) ACICR, 411/10, « Introduction sommaire à la question concernant les civils », septembre 1917, 9 p., p. 1.

Naissance du « Sans-frontièrisme »

La fin de l'humanitaire « neutre »

Kouchner (Bernard)*. – Le malheur des autres, *Paris, Editions Odile Jacob, 1999, pp. 109-121 (extraits).*

Que se passait-il au Biafra (1) qui nous prescrivit de parler et de constituer, avec les organisations médicales françaises de l'urgence, la deuxième génération de l'action humanitaire ? Le sentiment qu'on se servait de notre présence et de notre silence comme d'une complicité. (…)

Au début, il n'y avait pas foule. Nous étions chargés, Max Récamier, Olivier Dulac, Jean-François Bernaudin, Philippe Dechartre et moi-même, de deux hôpitaux. L'un, chirurgical, Awo Omama, fait de bâtiments communautaires assez modernes et bien distribués, accueillait près de mille blessés pour moins de trois cents lits. On trouvait les patients à deux ou trois sur un grabat et des corps à même le sol. Le rythme des arrivées, variable suivant les activités du front tout proche, débordait notre petite équipe. On nous expédia quinze jours après un chirurgien guatémaltèque, Minor Eyssen-Hernandez, et un réanimateur. Avec Vladan Radoman, anesthésiste d'origine yougoslave qui arriva un peu plus tard, le groupe des fondateurs de Médecins sans frontières, était réuni. (…)

Au mitan des nuits chaudes du Biafra, accroupis pour tromper la fatigue dans le recoin attenant à notre salle d'opération d'Awo Omama, alors que la vieille machine à stériliser le linge et les instruments chuintait avant de casser pour la vingtième fois, nous avons nerveusement refait le monde humanitaire, Récamier, Hernandez, Radoman et moi. Deux Français et deux lointains : c'était la bonne mesure.

Nous n'acceptions pas d'être les alibis médicaux du massacre des Biafrais. Le monde ne savait rien des élans de ce peuple, mal étiqueté par les penseurs des échoppes à bière de l'Occident, par les établis politiques sectaires et les rédactions en sous-sol. Une information précontrainte masquait les réalités des Biafrais. (…)

A quoi servaient les médecins s'ils n'alertaient pas le monde sur l'usage assassin du blocus alimentaire comme arme de guerre ? Silencieux, nous étions complices du massacre systématique d'une population.

J'ai donc rendu public le massacre des Biafrais. Mes compagnons d'alors répugnaient à la politisation de l'aide humanitaire. Ils n'avaient pas une très bonne opinion des pratiques politiques, y compris de celle dont j'étais issu : la militance étudiante pour la paix en Algérie et le combat contre le stalinisme. Au début, je me suis senti bien seul. J'étais en possession d'informations qui devaient modifier les comportements, mais les responsables politiques ne s'y intéressaient pas plus que mes amis d'Awo Omama. Seuls les Biafrais me poussaient à agir. Eternelle leçon : les victimes ont voix au chapitre, à l'exclusion de tout autre considérant. Voilà la première ingérence imposée, celle que nos patients exigeaient, même si les politiciens et les juristes faisaient la petite bouche et retenaient à peine leurs ironies meurtrières. (…)

* Co-fondateur de Médecins Sans Frontières et fondateur de Médecins du Monde. Plusieurs fois secrétaire d'Etat, puis ministre de 1988 à 1993 et de 1997 à 1999, avant de devenir Administrateur civil et Haut Représentant de l'ONU au Kosovo. A son retour, il a été nommé ministre de la Santé du gouvernement Jospin.

(1) Lors de la guerre de sécession du Biafra (1967), des médecins français de la Croix-Rouge sont horrifiés par le massacre de la population biafraise. Ils décident de créer une organisation plus libre de sa parole et de ses actes qui s'appellera Médecins Sans Frontières (NDLR de PPS).

Nous décidâmes de nous revoir, de ne pas abandonner le combat pour les autres, pour cette grosse moitié du monde que nous avions découverte démunie. Nous nous organisâmes chez le professeur Jollis, à l'hôpital Beaujon, un médecin de la Croix-Rouge, homme d'élan et de morale. Ainsi commencèrent la ronde et la quête autour du monde. Le groupe du Biafra, aux avant-postes : Récamier, Hernandez, Radoman, Grellety-Bosviel, Tarantola, Fyot, Aeberhard, Bérés et moi-même, plus tard Mario Duran.

Nous repartîmes en 1970 au Pérou, puis en Jordanie avec la Croix-Rouge.

Je tentais de convaincre Max Récamier et les autres de fonder une association. Ils restaient en retrait au début, n'étant pas hommes de bureau mais de départ dans la journée. J'affirmais doucement l'importance politique de l'innovation. Ils se décidèrent.

Les médecins sans frontières avaient pris le départ. Pas encore d'organisation, mais une fraternité réelle. Il nous manquait des locaux et un secrétariat. Un laboratoire de produits pharmaceutiques et le journal de la firme, *Tonus*, intervinrent avec générosité en nous fournissant cette aide matérielle. Le ver était dans le fruit. Nous nous entourâmes ainsi, dès 1971, pour des raisons d'intendance, de quelques techniciens non médecins qui devaient plus tard trahir l'esprit des fondateurs.

L'urgence fournit le bon prétexte pour rencontrer son semblable

Les acharnés du développement besognaient depuis longtemps dans l'ombre. Respectueux des coutumes et des cultures, proches des gens, ils n'entendaient pas imposer leur manière de vivre, ce qui rendait parfois leurs entreprises désespérées. Patients, tenaces, indispensables, ils tentaient de fournir de la nourriture et de construire un avenir pour les déshérités, une grande moitié des hommes de la terre. Ils furent rejoints à grands cris par les volontaires de l'urgence, et d'abord par ces médecins qui depuis vingt ans se précipitent aux points chauds de la planète quand éclatent les catastrophes politiques ou lorsque les cris de dénuement sont plus aigus qu'à l'habitude. L'urgence n'est souvent que le bon prétexte pour rencontrer son semblable. Pour les chirurgiens, les anesthésistes ou les pédiatres, il convenait, bien sûr, de coller au plus près de l'efficacité. Une vie humaine justifiait les audaces, toutes les énergies et chaque violation du droit international.

Parce que les souffrances ne s'arrêtent pas aux bornes géographiques, ils allèrent là où se trouvaient les malades, sans souci des interdits, sollicitant poliment les autorisations des autorités légitimes mais ne s'arrêtant pas aux refus. Ils ne choisissaient pas les interventions, ne sélectionnaient pas les plaintes. (...)

Infiniment utiles et dérisoires, ils devinrent les champions de l'optimisme à mains nues, soufflant à s'en époumoner sur toutes les braises à visage humain. Présents aux côtés des Erythréens quand ceux-ci affrontaient les troupes éthiopiennes que soutenaient les Américains, ils demeurèrent à leur poste dans les mêmes hôpitaux souterrains face aux « conseillers soviétiques », sous les Migs et les Sukois. Ils crièrent au monde qui ne les entendait pas que les Erythréens n'arrêteraient pas de se battre avant d'avoir obtenu la liberté et une forme d'indépendance.

Aujourd'hui, c'est chose faite. Ils sont allés le constater, à Asmara, la capitale, libre enfin après trente ans de guerre. Dans les larges avenues et les places à l'italienne, les couples marchent à l'aise sous les bougainvillées après quatorze ans de couvre-feu. Les guerriers en sandalettes et bérets noirs trinquent au café Impéro, qui vit le début de l'insurrection. Les humanitaires n'avaient pas recherché le camp de la victoire, ils ne savaient rien de l'avenir en aidant à panser les plaies. Ils ne convoitaient ni médailles ni récompenses. Ils demeurent critiques sur les méthodes en vigueur pour chasser les vaincus du territoire. Ils seront attentifs et sans illusions sur les lendemains de victoire.

Jean (François)*. – De l'inter-étatique au transnational, les acteurs non étatiques dans les conflits (l'exemple des organisations humanitaires internationales), coll. « Recherches et documents », *Paris, Fondation pour les études de Défense (FED) § CREST, n° 5, juin 1998, pp. 19-22 (extraits).*

Dans les années soixante-dix et quatre-vingt, l'aide humanitaire était quasiment absente des situations de crise ouverte. Les pays occidentaux, même les plus engagés dans un soutien politique et financier aux belligérants, se tenaient prudemment à l'écart des terrains de conflits : toute intervention directe de leur part même sous couvert d'une aide humanitaire, aurait été perçue comme une ingérence et provoqué une réaction immédiate des Etats concernés ou de la grande puissance tutélaire. Les organismes des Nations Unies étaient, pour leur part essentiellement engagés dans des programmes de « développement » et répugnaient à s'impliquer dans des situations de crise ouverte. Ils étaient d'autant plus absents que leur respect du principe de souveraineté, inscrit dans la Charte des Nations Unies et scrupuleusement respecté par l'organisation internationale, les met dans l'impossibilité d'intervenir dans des conflits internes sans l'accord des autorités nationales. Jusqu'au début des années quatre-vingt le Comité international de la Croix-Rouge (CICR) fut donc, malgré toutes ses contraintes, la seule organisation réellement présente sur le terrain, avant qu'une nouvelle génération d'acteurs non-étatiques – personnifiée en France par les « sans frontières » – commence à transgresser le principe de souveraineté et à intervenir dans les pays en conflits (1). Ces organisations étaient cependant assez rares et jusqu'au tournant des années quatre-vingt-dix, les zones de souveraineté contestée, *a fortiori* les zones « rebelles » étaient quasiment hors d'atteinte de l'aide internationale.

Dans les années soixante-dix et quatre-vingt, l'aide, souvent considérable, mobilisée par les pays occidentaux et canalisée par des organisations gouvernementales, intergouvernementales ou non-gouvernementales s'est donc tenue à l'écart des pays en conflit et s'est essentiellement déployée dans les camps de réfugiés (2). Au cours des années quatre-vingt dans un contexte marqué par un retournement idéologique illustré par le remplacement de la figure du guérillero par celle du *freedomfighter*, les pays occidentaux ont encore accentué leur soutien aux camps de réfugiés établis aux frontières des pays en conflit. Cette aide humanitaire, en principe dissociée de l'aide politique et militaire distribuée aux mouvements armés par d'autres canaux, a eu un impact non-négligeable sur les économies de guerre. Dans bien des cas, les camps de réfugiés sont devenus des « sanctuaires humanitaires » (3) et un facteur de perpétuation des conflits : nombre de mouvements armés ont trouvé dans les camps une légitimité politique, à travers leur emprise sur les populations réfugiées, une base économique, par le biais de l'aide internationale déver-

* Chercheur.

(1) Mark Duffield & John Prendergast, *Without troops and tanks. Humanitarian intervention in Ethiopia and Eritrea*, The Red Sea Press, 1994.

(2) Le cas de l'Afghanistan en témoigne : alors que l'aide distribuée dans les camps de réfugiés représentait, en moyenne, 400 millions de dollars par an dans la deuxième moitié des années quatre-vingt, l'aide acheminée à l'intérieur du pays par les organisations opérant illégalement à travers la frontière ne représentait, à la même époque, que quelque 20 millions de dollars par an. Voir H. Baitenmann, "NGOs and the Afghan war, the politicisation of humanitarian aid", *Third World Quarterly*, 12 (1), 1990.

(3) Jean-Christophe Rufin, *Le piège humanitaire,* J.-C. Lattès, 1986, (rééd. Hachette-Pluriel, 1993).

sée dans les camps, et un réservoir de combattants. Les camps de réfugiés afghans au Pakistan, les sites contrôlés par les « contras » au Honduras et les Khmers rouges sur la frontière thaïlandaise ou, plus récemment, les camps de réfugiés rwandais en Tanzanie et au Zaïre, sont de bonnes illustrations de l'instrumentalisation de l'aide aux réfugiés par des mouvements armés (4).

Depuis le début des années quatre-vingt-dix, la situation a beaucoup évolué : l'aide humanitaire qui ne jouait qu'un rôle marginal et ne se déployait qu'à la périphérie des conflits joue désormais un rôle central au cœur des dynamiques conflictuelles. L'importance croissante de l'aide humanitaire dans les situations de crise s'accompagne, en effet, d'une profonde transformation des modalités de distribution, marquées par un élargissement de la périphérie vers le centre des conflits. Depuis la fin de la Guerre froide, l'aide humanitaire n'est plus seulement distribuée dans les camps de réfugiés ; elle est de plus en plus acheminée à l'intérieur des pays en conflit, au cœur des zones de combat. Il ne s'agit certes pas d'une rupture radicale, ne serait-ce que parce que les réfugiés continuent de fuir les pays en crise et que les « sanctuaires humanitaires » sont toujours d'actualité, comme le montre l'exemple des camps de réfugiés rwandais… Il n'en reste pas moins que la dissociation entre les zones de combat situées à l'intérieur des pays en crise, et les lieux de distribution de l'aide, dans les régions frontalières, a tendance à s'estomper et que le système de l'aide se déploie de plus en plus au cœur des zones conflictuelles. (…)

Financièrement d'abord puisqu'elle reste, bien souvent, la seule ressource extérieure qui soit encore injectée dans des conflits internes qui ne suscitent plus de véritable intérêt de la part des puissances. Géographiquement ensuite, puisque la figure du « sanctuaire humanitaire » est de plus en plus remplacée par celle de la « zone de sécurité ».

(4) Sur les camps de réfugiés khmers en Thaïlande, voir William Shawcross, *Le poids de la pitié*, Balland, 1985 ; sur les camps de réfugiés rwandais au Zaïre, lire Médecins Sans Frontières (sous la direction de F. Jean), *Populations en danger*, La Découverte, 1995.

Une notion difficile à cerner

Une exigence d'impartialité...

Brauman (Rony)*. – L'action humanitaire, 2e édition, *Paris, Flammarion, coll. « Dominos », 2000, pp. 9-11 (extraits).*

Risquons pour commencer, une définition : l'action humanitaire est celle qui vise, sans aucune discrimination et avec des moyens pacifiques, à préserver la vie dans le respect de la dignité, à restaurer l'homme dans ses capacités de choix. Accepter cette formulation, c'est déjà dire que, au contraire d'autres chapitres de la solidarité internationale, l'aide humanitaire n'a pas pour ambition de transformer une société, mais d'aider ses membres à traverser une période de crise, autrement dit de rupture d'un équilibre antérieur. Indiquer son caractère pacifique et impartial, c'est dessiner à la fois les contours de la scène et la silhouette des acteurs. C'est, plus précisément, souligner le rôle particulier des organisations humanitaires privées indépendantes et mettre en question les gouvernements dans leur nouveau rôle d'intervenant direct. Compléter en invoquant les « principes d'humanité, du droit des gens et des exigences de la conscience publique », pour reprendre les termes, délibérément vagues et pourtant précis, des conventions de Genève, c'est enraciner cette action dans une morale humaniste. C'est par conséquent souligner l'importance de l'intention mise ici, et contrairement au domaine politique, au même rang que les résultats de l'action. Ainsi se dessine en creux un territoire de l'humanitaire, qu'encadrent trois balises.

L'intention du geste, que doit guider le souci de l'Autre, et non la défense d'intérêts. (...) Perçue comme une fin, l'action humanitaire est incontestable ; utilisée comme un moyen, elle devient inacceptable.

Le contexte dans lequel est réalisée l'action : c'est celui, nous l'avons dit, de la rupture brutale d'un équilibre antérieur. Notion floue, imparfaite, mais utile pour éviter de fixer nos propres normes comme catégories universelles. C'est dans un environnement de crises, qu'elles soient d'origine naturelle ou politique, qu'il s'agisse de tremblements de terre ou de guerres civiles, que l'action humanitaire prend tout son sens.

La nature de l'acteur institutionnel, dont la position d'indépendance vis-à-vis des pouvoirs politiques doit être sans équivoque. Du moins en situation de guerre, lorsque la charge politique, très lourde, requiert de la part des intervenants humanitaires une transparence totale.

* Ancien Président de Médecins Sans Frontières. Aujourd'hui essayiste, cinéaste et Directeur de recherche à la Fondation MSF.

… qui veut s'imposer sur la scène internationale

Jacquemart (Bernard)*. – *« Humanitaire : le mot et les concepts en jeu »,* Revue Humanitaire, *Paris, n° 1, 2000, pp.49-63 (extraits).*

Succès donc d'un mot au risque de sa banalisation. En juillet 2000, une des grandes librairies françaises affichait à son catalogue 107 titres sous la rubrique « humanitaire » et une recherche sur les archives électroniques du journal *Le Monde* donnait, du 1er janvier 1987 au 31 juillet 2000, 10 826 articles contenant une ou plusieurs occurrences de « humanitaire » (dont 197 éditoriaux et 446 « opinions et points de vue »). Un regard plus précis sur la répartition par année de ces articles montre, sans pousser plus avant la recherche, comment le mot humanitaire a pris sa place actuelle avec les événements internationaux qui ont jalonné la dernière décennie (Bosnie, Somalie, Rwanda, Kosovo et Timor), appuyant la définition avancée par Véronique Nahoum-Grappe d'un « adjectif substantivé qui suppose pour être compris la connaissance de son contexte : la France des années Kouchner, les conflits en Somalie, la guerre en ex-Yougoslavie, le génocide au Rwanda et, surtout, leurs commentaires en images et en paroles sur les écrans et dans les conversations ».

Pour « humanitaire », le *Dictionnaire historique de la langue française* donne : « (dérivé de humanité), adjectif qui vise au bien de l'humanité, propre à la période romantique, est relevé en 1835 (Lamartine) ». En 1948, le *Petit Larousse* donnait pour humanitaire : « adjectif qui s'intéresse à l'humanité : institutions humanitaires. Nom et adjectif. Qui s'occupe des intérêts de l'humanité : un philosophe humanitaire » ; et pour humanitarisme « doctrine des humanitaires ». (…)

Pour dépasser la compréhension forcément limitée qu'induit la seule vision historique de l'humanitaire, il faut aujourd'hui lui appliquer d'autres grilles de lecture. Depuis dix ans, les humanitaires et leurs organisations sont devenus, avec leur impact médiatique, leur capacité d'interpellation, leur force opérationnelle, des acteurs incontournables des relations internationales. Ils se « projettent » sur le champ des crises, mus par des « intentions » et des principes, entrent en compétition ou lient des alliances avec d'autres acteurs, peuvent « lever » des ressources financières et humaines, communiquent et « mobilisent » les opinions. Cela nous impose, pour mieux les comprendre, d'appliquer à l'espace et à la galaxie humanitaire les grilles de lecture de la géopolitique telles qu'on les utilise pour comprendre les actions des politiques, Etats, organisations intergouvernementales, forces armées, mafias, etc. (…)

L'espace humanitaire

L'espace humanitaire peut alors être défini comme le lieu et le moment où se tisse le réseau complexe des relations entre les acteurs impliqués à des titres différents dans la dimension humanitaire d'une crise ou à l'occasion des débats plus généraux qui les réunissent.

* Responsable de l'Unité de Veille et d'Analyse des crises à Médecins du Monde.

Chacun de ces acteurs est agi par des intérêts, intentions, circuits décisionnels, principes politiques, moraux, idéologiques et opérationnels qui lui sont propres. Si le cadre légal des actions est universel (Droit international humanitaire, Droit des droits de l'homme, Conventions sur les réfugiés, les Droits de l'enfant, etc.), l'interprétation ou l'application en sont souvent remises en cause. Les mandats sont fréquemment auto-attribués. Les recherches de ressources financières et humaines, l'accès aux médias créent un espace concurrentiel entre tous ; la coopération ou la coordination dans l'action sont des enjeux majeurs de pouvoir, d'image et financiers. Le facteur humain (compétence, expérience, encadrement, *turn-over,* etc.) pèse lourdement sur l'évolution des relations, la capacité opérationnelle, la qualité des actions et leur pertinence.

Diversité des acteurs de l'humanitaire et niveau de l'aide
Constitution d'un « pôle » humanitaire

Le mouvement international de la Croix-Rouge et du Croissant-Rouge

Fédération Internationale des Sociétés de la Croix-Rouge et du Croissant-Rouge. – Rapport d'activité 1999, Genève, 2000 (extrait).

Les catastrophes naturelles sont de plus en plus fréquentes, et leurs effets de plus en plus dévastateurs, comme l'ont confirmé, de manière aussi spectaculaire que tragique, les séismes meurtriers et les graves inondations qui, en 1999, ont frappé l'Asie, l'Europe et l'Amérique latine, provoquant d'innombrables pertes en vies humaines et détruisant les moyens de subsistance des populations sinistrées. Un grand nombre de pays parmi les plus pauvres du monde sont aussi les plus exposés à des catastrophes susceptibles de briser l'élan de la croissance économique et du développement. Tout au long de 1999, les Sociétés de la Croix-Rouge et du Croissant-Rouge ont participé activement aux efforts déployés pour venir aide aux victimes de ces catastrophes.

Les événements de l'année écoulée ont montré clairement que les agences humanitaires internationales devaient tout à la fois renforcer les mesures de préparation aux catastrophes et mieux s'organiser. L'action visant à accroître la performance et la qualité de l'assistance humanitaire ainsi qu'à renforcer les liens de coopération avec les autres organismes est restée l'une des premières priorités de la Fédération en 1999.

La crise dans les Balkans et les mouvements massifs de population qu'elle a provoqués ont amené la Fédération et son organisation sœur, le Comité international de la Croix-Rouge (CICR), à lancer leur plus grand appel conjoint à ce jour. Cette coopération s'est révélée des plus utiles pour répondre aux multiples besoins liés à une situation en constante évolution.

En 1999, la Fédération a également continué d'allouer des ressources à la lutte contre les effets des catastrophes économiques et sociales. Dans certains pays, celles-ci ont acquis un caractère chronique et elles touchent toujours plus de gens. Beaucoup de Sociétés nationales assument ainsi des responsabilités croissantes dans ce domaine.

La Fédération a lancé au total des appels destinés à assister 30 millions de personnes dans le cadre de 91 opérations.

Comité international de la Croix-Rouge. – Rapport d'activité 1999, *Genève, 2000 (extraits).*

1999 : la fin d'une époque ?

L'année 1999 restera dans les annales comme une période d'intense activité pour le CICR, qui a dû gérer un enchevêtrement de crises majeures : la Sierra Léone, l'Angola, les Balkans, Timor-Est et le Nord-Caucase ont été les plus médiatisées, mais les besoins ont été tout aussi grands en République du Congo, au Soudan, en Ethiopie et en Erythrée, dans la région des Grands Lacs africains, en Colombie, à Sri Lanka et en Afghanistan. Si l'année 1999 a été ponctuée par une cascade de situations de conflit dont nous n'avons cité que les principales, elle l'a aussi été par une série de catastrophes naturelles qui n'ont fait qu'alourdir le bilan des pertes humaines et matérielles de pays, voire de régions entières, déjà défavorisées sur les plans économique et social. (...)

L'année 1999 aura été exceptionnelle par le nombre et l'ampleur des conflits et des situations de violence qui l'ont caractérisée. Qu'il s'agisse de conflits perdurables, réactivés, nouveaux ou gelés, il semble que la plupart des points du globe où l'on pouvait craindre une détérioration ont effectivement été le théâtre de crises majeures. De ce fait, le CICR a assuré une présence active dans 60 délégations, où 1 200 expatriés et 9 500 collaborateurs locaux se sont attachés à répondre aux besoins provoqués par une vingtaine de conflits armés actifs et une trentaine de situations de tension ; il a visité 228 000 personnes privées de liberté pour des raisons de sécurité dans 66 pays, et il a porté assistance à un total de quelque cinq millions de victimes.

Tout au long de l'année considérée, le CICR s'est efforcé de répondre aux crises successives qui, souvent, comportaient un aspect imprévisible, soit par leur ampleur inattendue, soit par la brusque reprise de la violence au cours d'un processus de paix, soit encore par l'interruption d'un processus démocratique. Pour ce faire, le CICR a adopté à dix reprises ses objectifs dans le cadre d'extensions budgétaires.

Le CICR est resté constant dans la nature de ses activités, et l'augmentation de ses budgets est attribuable non pas à un changement du type de ses programmes, mais à leur intensification, surtout dans les domaines de l'assistance alimentaire et de la protection. En Angola, en République du Congo, en République démocratique du Congo, au Soudan, en Somalie, dans les Balkans et dans le Nord-Caucase notamment, les personnes déplacées ou les résidents privés de leurs moyens de subsistance se comptent par millions.

Certes, la situation s'est améliorée dans quelques pays et le CICR a réduit ses activités en conséquence. Tel a été le cas au Cambodge, par exemple, Dans d'autres contextes, en revanche, des portes se sont ouvertes au CICR, ce qui a provoqué une augmentation des activités. Tel a été le cas au Myanmar, en Algérie, au Népal ou au Venezuela, où des visites aux personnes privées de liberté ont pu commencer.

Sur le plan de l'action humanitaire coordonnée, du moins dans le cadre du Mouvement international de la Croix-Rouge et du Croissant-Rouge, cette année aura vu une approche intégrée de toutes les composantes du Mouvement pendant et après la crise des Balkans, une approche dont il faudra tirer les enseignements.

Répartition géographique des secours acheminés par le CICR en 1999

Afrique : 29,2 %
Asie et Pacifique : 11,2 %
Amérique latine et Caraïbes : 4,4 %
Europe et Amérique du Nord : 53,0 %
Moyen-Orient et Afrique du Nord : 2,2 %

Activités opérationnelles

En 1999, le CICR a :

- *visité 225 313 personnes privées de liberté – prisonniers de guerre, internés civils, ou détenus – dans un contexte de conflit ou de violence et suivi le parcours carcéral de 166 075 d'entre elles ;*
- *visité 1 726 lieux de détention dans plus de 60 pays ;*
- *fourni pour 13 millions de CHF [francs suisses] (1) d'assistance matérielle et médicale aux détenus et à leur famille ;*
- *récolté 337 776 messages Croix-Rouge et en a distribué 304 291 ;*
- *réuni 4 236 familles ;*
- *établi 7 646 titres de voyage CICR ;*
- *localisé 3 154 personnes recherchées par leurs proches ;*
- *reçu 12 865 nouvelles demandes de recherches ;*
- *distribué 104 700 tonnes de nourriture, 12 800 tonnes de semences et 42 000 tonnes de secours divers pour une valeur totale de 141 millions de CHF dans 55 pays.*
- *déployé des équipes d'assainissement dans 31 pays pour fournir de l'eau potable aux personnes déplacées et/ou rétablir les systèmes de traitement et de distribution de l'eau dans les villes et les régions touchées par des conflits ;*
- *lancé ou mené à bien environ 200 programmes « eau et habitat » par le biais de projets délégués aux sociétés nationales de 14 pays ;*
- *fourni et/ou installé du matériel destiné à l'approvisionnement en eau et à l'assainissement pour une valeur de 16,8 millions de CHF ;*
- *fourni des médicaments et du matériel médical pour une valeur de 25,6 millions de CHF, à près de 200 hôpitaux dans 54 pays ;*
- *envoyé des équipes médicales et fourni la plupart des médicaments, du matériel médical et de l'équipement à 11 hôpitaux en Afrique et en Asie, qui ont admis 48 000 patients environ et où 200 000 personnes ont reçu des soins ambulatoires.*
- *équipé 14 383 amputés dont 8 896 victimes de mines dans ses 29 centres d'appareillage orthopédique répartis dans 14 pays ;*
- *fabriqué et remis à d'autres organisations qui appareillent des amputés 14 445 composants orthopédiques (genoux et pieds artificiels et appareils divers) ;*
- *fourni à ses ateliers du matériel pour la production de prothèses et d'orthèses, d'une valeur totale de 1,9 million de CHF.*

(1) 1 franc suisse : 4 francs français ou 0,60 euro environ.

Source : CICR, *rapport annuel 1999*, op. cit.

Les Organisations Non Gouvernementales

Médecins Sans Frontières – France : la première ONG française

II Rapport d'activités 2000/2001 de l'association Médecins Sans Frontières, XXXe assemblée générale, *Vitry-sur-Seine, 9 et 10 juin 2001 (extraits).*

Présentation du mouvement

Au-delà des mécanismes indispensables de coordination, les sections dites « opérationnelles » sont indépendantes financièrement, juridiquement et sur le plan logistique.

Certaines de ces sections opérationnelles ont créé d'autres MSF, sections dites « partenaires » dont le rôle est de participer à la mission d'information et de sensibilisation du public de MSF, de recruter des volontaires et de collecter des fonds publics et privés.

En 2000, on compte 12 sections partenaires en Allemagne, Australie, Autriche, Canada, Danemark, Etats-Unis, Hong-Kong, Italie, Japon, Norvège, Royaume-Uni et Suède.

Pour des raisons de facilité, les sections partenaires ont des liens privilégiés avec une section opérationnelle en particulier, mais travaillent au service de l'ensemble du mouvement et de toutes les actions menées dans le monde par MSF.

De fait, toutes les sections du mouvement sont opérationnelles, dans le sens où l'information et la sensibilisation du public, en particulier le témoignage, font partie intégrante du mandat opérationnel. Par facilité de langage, on appelle, au sein de MSF, « sections opérationnelles », les sections conduisant des opérations sur le terrain.

Le Bureau International

En 1991, les différentes sections de MSF ont créé le « Bureau International de Médecins Sans Frontières » (appelé « Bureau International »). Cette association internationale de droit belge, constituée des personnes morales que sont les différentes sections, a pour buts de faciliter la coordination et la circulation de l'information entre les sections MSF, ainsi que de représenter le mouvement MSF auprès des institutions internationales comme l'Union européenne.

La principale instance du Bureau International est constituée par le Conseil International, qui regroupe depuis 1997 les représentants de chaque section. Pour son activité, le Bureau International prend appui sur une structure légère d'une dizaine de personnes, le bureau international, basée à Bruxelles.

Chaque section opérationnelle participe aux dépenses de fonctionnement du Bureau International. La participation de la section française, de 25 % du total des coûts, est passée de 1,3 MF en 1999 à 1,6 MF en 2000. Dans le compte d'emploi des ressources, celle-ci se retrouve dans le coût du fonctionnement de la structure.

Présentation du groupe MSF France

Autour des missions sur le terrain à l'étranger et en France, le groupe MSF France est constitué du siège de l'Association MSF, d'antennes régionales, de satellites, de sections partenaires et d'un bureau étranger.

La recherche de l'efficacité a en particulier conduit l'Association à s'entourer de satellites spécialisés à qui ont été confiées des missions précises qui s'intègrent dans son activité. Leurs charges et produits sont alors intégrés soit directement dans les comptes de l'association, soit dans les comptes combinés.

La combinaison est une opération comptable qui intègre l'ensemble des comptes des entités après avoir neutralisé les transferts internes et réalisé les retraitements nécessaires. Les comptes combinés sont ceux de Médecins Sans Frontières, auxquels ont été intégrés ceux de l'ensemble des satellites, ainsi que du bureau des Emirats-Arabes-Unis.

La mise en place de comptes combinés, opération complexe et source potentielle de discussion principalement quant à la définition de la « mission sociale » de l'ensemble combiné, remonte à 1991. La raison qui prévalait à leur mise en place, à savoir, comme dans le monde de l'entreprise, la nécessité de refléter les flux financiers de la totalité de l'unité économique contrôlée afin d'être transparent, nous paraît toujours valable. Sans cette combinaison, le fait d'externaliser certains frais administratifs ou de collecte sur des filiales non reprises dans le compte d'emploi permettrait d'artificiellement optimiser le ratio de mission sociale sur les dépenses totales.

Les satellites

	Statut juridique	Fonction
MSF Logistique	Association	Achats, conditionnement, stockage et affrètement des médicaments et du matériel, médical ou non médical, destinés aux missions
Epicentre	Association	Recherche épidémiologique, études médicales, support informatique, et formation du personnel médical et administratif
Urgence et Développement Alimentaires (UDA)	Association	Réponse aux besoins alimentaires d'urgence des populations sur les terrains d'intervention de MSF
Etat d'Urgence Production	SARL	Activité audiovisuelle
MSF Assistance	Association	Activités de recherche de fonds auprès des entreprises
SCI MSF	SCI	Propriétaire et gérant du siège de MSF Association
Fondation MSF	Fondation	Centre de recherche sur l'action humanitaire et sociale en France et à l'étranger (reconnue d'utilité publique en mars 1991) Propriétaire du siège de l'association MSF Logistique
SCI Sabin	SCI	Propriétaire du siège social de l'association Epicentre

Quelle que soit leur forme juridique, les conseils d'administration des associations sont principalement composés d'administrateurs de MSF Association, et la gérance des sociétés est assurée par les dirigeants de MSF Association.

Activités et ressources

La croissance des opérations a été, cette année encore, très importante. Elle est en partie liée à un rythme soutenu des urgences, mais aussi aux évolutions opérationnelles des projets dits « à moyen/long terme ».

Les années 2000/2001 ont été émaillées de nombreux problèmes de sécurité. Au début de l'année 2000, en Ethiopie, l'attaque d'une voiture de Médecins Sans Frontières Bruxelles a fait un mort, le chauffeur Abdi Fatta, et un blessé grave, Stéphane, qui reste aujourd'hui très handicapé. En juillet, en Colombie, Ignacio de Torquemada est enlevé (il sera libéré six mois plus tard). Enfin, en Tchétchénie, en janvier 2001, et après de nombreux incidents de sécurité, Kenny Gluck, chef de mission pour Médecins Sans Frontières Amsterdam, est enlevé et sera retenu quelques semaines. Tous ces incidents ne font que renforcer la nécessité de travailler au plus près des personnes que l'on aide, mais aussi de mettre, constamment, la compréhension des contextes au cœur des projets conduits en zones de conflits, afin d'assurer une évaluation correcte des problèmes de sécurité et de permettre une aide de qualité.

Opérations

La relance des opérations, initiée en 1999, s'est poursuivie en 2000, avec plus de 1 000 départs, un nombre de postes sur le terrain supérieur à 420 au 1er janvier 2001 et une présence dans 40 pays. Conflits, réfugiés et déplacés, épidémies, crises alimentaires, exclusion, catastrophes naturelles... Nos contextes d'interventions demeurent globalement identiques et notre réactivité aux urgences non démentie. Mais les nouveaux théâtres sur lesquels nous intervenons, les graves incidents de sécurité auxquels nous avons été confrontés et notre souci de qualité pour les actions menées mettent en lumière la nécessité de mieux appréhender la complexité des situations dans lesquelles nous cherchons à intervenir. Ils nous poussent aussi à réfléchir à notre responsabilité, en tant qu'acteurs du domaine humanitaire et médical.

Ressources humaines

Pour mettre en œuvre ses programmes, Médecins Sans Frontières a recours à des ressources humaines : ce sont les équipes de terrain, c'est-à-dire les volontaires expatriés et les employés nationaux. En 2000, à travers le prisme du département des ressources humaines, voici le reflet de leur activité au sein de nos missions.

En moyenne, sur l'année, il y a eu 426 postes de volontaires expatriés sur le terrain. Il y en avait 386 en 1999, soit une croissance de 10,3 %. Cette augmentation est constante depuis 1997, ce qui reflète bien la reprise d'activité de nos opérations. Le volume de postes sur le terrain en 2000 est le plus élevé depuis la création de Médecins Sans Frontières ; pour mémoire, le « record » précédent était de 408 postes en 1994, année de l'urgence au Rwanda.

Pour occuper les 426 postes sur le terrain, il y a eu 1 019 départs de volontaires expatriés, contre 964 en 1999 et 801 en 1998. Cela représente une augmentation de 27 % en deux ans. Le taux de rotation sur les postes est de 2,4 volontaires par poste/an. On constate un allongement significatif de la durée moyenne des missions : 46 % des volontaires rentrés en 2000 (encadrement et terrain confondus) sont restés moins de trois mois en mission, 24 % sont restés de trois à six mois et 30 % plus de six mois. La rotation des chefs de mission s'est améliorée (8 mois contre 7 en 1999) et celle des coordinateurs médicaux est restée stable (5 mois). Notons que si 76 % des volontaires ne sont partis qu'une fois au cours de l'année, 18 % sont partis deux fois, 4 % trois fois et 2 % plus de trois fois. Par ailleurs, les permanents du siège ont effectué 230 visites sur le terrain, en appui aux missions.

Le nombre de postes et de départs a peu varié autour de la moyenne annuelle. On note deux pics : au premier trimestre 2000 (urgences Niger et Mozambique) et en novembre/décembre (Madagascar, Burundi, Palestine). Une dynamique régulière d'évaluation des missions a été engagée. Les missions en Bosnie, au Bangladesh, au Laos, au Liban, au Mali, au Timor et au Vietnam ont fermé. Des missions ont été ouvertes en Birmanie, en Erythrée, en RDC (zone sous contrôle du Mouvement de Libération du Congo), en Indonésie, en Ingouchie-Tchétchénie et en Zambie.

Graphique 1. - Evolution des ressources, emplois et résultats combinés depuis 1993

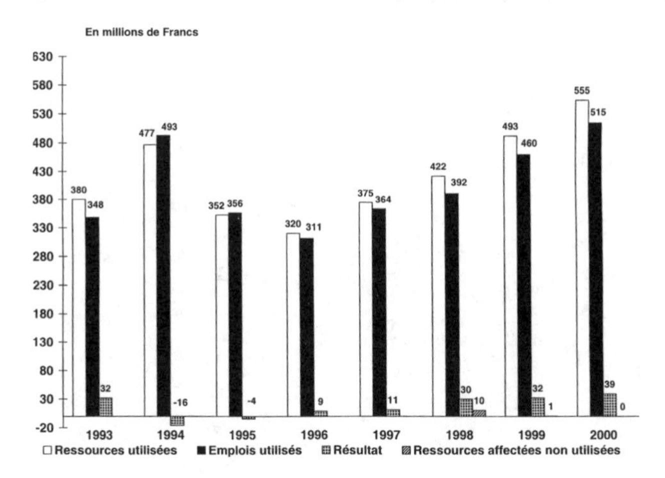

Graphique 2. - Répartition des emplois combinés
(en millions de francs et en % du total des emplois utilisés)

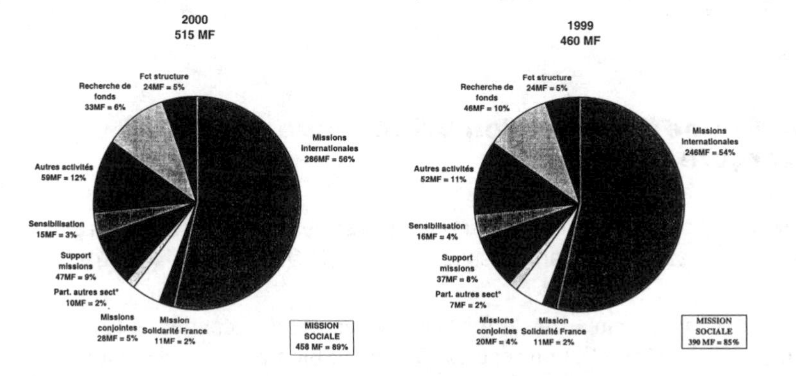

Tableau 1. – Ressources des Associations françaises de Solidarité internationale (ensemble des ONG françaises) (exercice 1999)

1999	Montants en FF	% du total
Ressources privées (1)	2 408 515 107	58,1
Ressources publiques	1 742 284 361	41,9
- ressources publiques françaises (subventions et cofinancements)	364 116 197	8,77
MAE	220 693 272	5,32
Autres ministères ou établissements publics (dont AFD)	84 923 508	2,05
Collectivités territoriales	58 499 417	1,4
- ressources publiques internationales (subventions et cofinancements)	1 239 261 896	29,85
Union européenne	896 519 499	21,60
Institutions internationales	168 519 187	4,06
Autres	174 223 200	4,19
- prestations de services à des institutions publiques françaises, européennes, internationales et bilatérales	138 906 268	3,34
TOTAL	**4 150 799 468**	**100**

(1) Dont 292 811 486 FF, soit 12,15 % affectés aux coûts de collecte.

Source : Commission Coopération Développement (CCD). La CCD est une structure paritaire rassemblant pouvoirs publics et ONG.

Tableau 2. - Organisations de Solidarité Internationale (OSI) (classement par taille budgétaire)

> 300 MF
MSF MDM
50 MF à 300 MF ACF (Action contre la Faim) ACTED AFVP Aide et Action CCFD CF-UNICEF CRF GRET Handicap International Partage Première Urgence PSF-CI Raoul Follereau Secours Catholique Solidarités
Total : 154 OSI

Source : CCD.

OXFAM : une organisation britannique devenue d'envergure mondiale

Anning (Majella)*. – *« OXFAM : une remise en question bénéfique ».* Revue des questions humanitaires, *Bruxelles, 1998, pp.42-44 (extraits).*

« D'accord, c'est un seau », déclare Maurice Herson, du département Aide d'urgence d'Oxfam. « Mais c'est un seau extrêmement bien conçu. » Sa renommée de meilleur spécialiste de l'approvisionnement en eau, Oxfam (dont le siège se situe à Oxford) la doit à un modeste seau de 14 litres. Sa plus belle réussite, la distribution d'eau dans les camps de réfugiés de la région des Grands Lacs en Afrique en 1994, lui a valu une notoriété incontestable.

Dans les semaines qui ont suivi l'installation des camps, Oxfam a fourni de l'eau à plus d'un million de personnes. Et quelque 500 000 réfugiés ont aussi pu être ravitaillés en eau grâce au matériel et au savoir-faire fournis par Oxfam à d'autres organisations humanitaires. Comme cette eau devait être puisée et transportée par les réfugiés, les spécialistes d'Oxfam ont tout simplement voulu mettre au point un type de seau suffisamment solide pour puiser de l'eau. Et ils ont également voulu réduire le risque de contamination microbienne en y ajoutant un couvercle et un bec verseur. (...)

Un réseau mondial complexe

Si le problème de l'eau était le seul à régler, la tâche d'Oxfam serait relativement simple. Depuis sa création en 1942, l'Oxford Committee for Famine Relief (Oxfam en abrégé) est devenu un réseau complexe d'organisations actives partout dans le monde. Sa tâche est double : non seulement régler les problèmes d'aide humani-

* Journaliste.

taire d'urgence et les problèmes de développement à long terme mais aussi défendre les droits des populations les plus pauvres et les plus vulnérables.

Oxfam compte actuellement 11 organisations portant parfois des noms différents tels que Novib aux Pays-Bas, Intermon en Espagne, Oxfam Solidarité/Solidariteit en Belgique, Community Aid Abroad en Australie, Oxfam-Québec au Canada et Oxfam, tout simplement, aux Etats-Unis, en Irlande et en Grande-Bretagne. Ces organisations œuvrent dans plus de 120 pays.

Oxfam récolte à l'heure actuelle plus de 217 millions de Livres Sterling par an. Ce qui en fait l'une des œuvres de bienfaisance les plus importantes au monde. En plus de ses bureaux nationaux – dont le plus important reste situé à Oxford –, Oxfam dispose d'une petite antenne internationale à Oxford et d'un centre à Washington créé en 1995 pour développer le lobbying auprès de la Banque mondiale, du Fonds Monétaire International et des Nations Unies. Jusqu'il y a peu, Oxfam Grande-Bretagne et Oxfam Irlande formaient une seule entité, de loin la plus importante du réseau Oxfam. Elle opérait dans plus de 70 pays, avec un budget de 91 millions de Livres Sterling (chiffres de 1997). La branche irlandaise a connu une telle extension qu'elle est aujourd'hui devenue indépendante. (...)

Constitué d'un dédale de bureaux disparates et de corridors dans lequel le personnel habituel éprouve des difficultés à se retrouver, le siège central d'Oxford illustre bien l'évolution et la complexité du travail effectué par Oxfam. L'organisation occupe 650 personnes à temps plein dans son quartier général d'Oxford ; elle compte en outre 26 000 bénévoles qui gèrent les magasins Oxfam en Grande-Bretagne et en Irlande.

CARE International : un réseau globalisé d'ONG

Tousignant (Guy)*. – *« De l'assistance à la politique : l'itinéraire de Care International ». Propos recueillis par Rachel Johnson.* Revue des questions humanitaires, Bruxelles, *printemps 1999, pp.46-49 (extraits).*

Ce fut une rude matinée pour Guy Tousignant, 58 ans, l'ancien militaire canadien qui a pris la tête de CARE International. Il n'avait pas encore eu le temps de se remettre d'une mission au Rwanda ni de jeter un coup d'œil sur l'un des 700 projets que CARE gère dans le monde. Non, il était à Bruxelles, chez le dentiste, pour soigner une rage de dent. En tenue militaire, il ne donnait pas l'impression, durant notre interview, d'avoir des difficultés à s'exprimer. Parler franchement – les ONG parlent de défendre une cause – fait de plus en plus partie de son travail.

Depuis son accession au poste de secrétaire général, en 1997, CARE International a dû prendre de plus en plus d'options politiques, tout en maintenant la fourniture d'une aide humanitaire aux régions ravagées par des désastres naturels (Amérique centrale ou Bangladesh), par des famines provoquées par l'homme ou exigeant des secours d'urgence (Soudan et Irak).

CARE reste néanmoins l'une des principales organisations mondiales officiellement indépendantes (sans connotations politique ou religieuse) avec des projets dans plus de 70 pays et des budgets dépassant 400 millions de dollars par an. Guy Tousignant est installé au secrétariat de Bruxelles et se trouve comme une arai-

*Secrétaire général de CARE International.

gnée au milieu d'une toile mondiale. Constituée d'un ensemble de 10 organisations au Japon, en Australie, en Europe et en Amérique du Nord, CARE a en effet besoin d'une structure forte et centralisée.

CARE date de la Deuxième Guerre mondiale, une époque où les Européens réfugiés en Amérique du Nord désespéraient de ne pouvoir aider leurs amis et leurs familles restés sur place. L'ONG est donc née des sentiments de compassion de gens ordinaires, aux Etats-Unis et au Canada, qui ont envoyé plus de 100 000 colis de nourriture et d'autres produits essentiels à des Européens complètement désorganisés par la guerre. Toujours sous leur appellation de 1940, les paquets de CARE contiennent aujourd'hui des barres chocolatées Snickers ainsi que des petits déjeuners Cherrios plutôt que des rations de base d'après-guerre, des boîtes métalliques de corned-beef ou de pâté de foie. Guy Tousignant consacre pour le moment une grande partie de son énergie au conflit sans fin du Soudan, dont les origines illustrent parfaitement les divisions qui peuvent persister entre deux cultures, en l'occurrence les Egyptiens et par la suite les Arabes dans le Nord du pays, les Noirs, les animistes et ensuite les chrétiens dans le Sud. CARE a décidé d'assumer le rôle controversé d'interlocuteur du gouvernement soudanais et du Mouvement de libération du peuple soudanais, aux côtés des Nations Unies. (...)

Cependant, ce n'est pas facile, particulièrement dans les zones en guerre. L'aide de la communauté internationale risque toujours de prolonger le conflit et de bénéficier finalement aux combattants. L'aide délivrée dans les zones en guerre, en répondant aux besoins de base des gens, prolongerait-elle le conflit. Qu'en pense Guy Tousignant ?

« Le simple fait d'aider une population exige une présence sur place, auprès des bénéficiaires. Cela signifie que nous acceptons, le cas échéant, certaines conditions et qu'en tant qu'ONG, nous sommes prisonniers de cette situation. »

« Dans l'ancien Zaïre, nous avons été confrontés à une situation de ce genre. Nous nous sommes trouvés face à un dilemme : devions-nous abandonner le terrain ou accepter des compromis ? Nous devions décider de rester ou de partir. Ce n'est pas simple ! » Je ne me souviens pas d'une situation où nous aurions été plus clairvoyants à ce propos : les choses évoluent jusqu'à ce que l'escalade de la violence nous pousse dehors. Je ne pense pas que dans ces circonstances, nous songeons que nous contribuons au maintien du conflit. Ce serait trop facile alors de partir. C'est une conclusion à laquelle nous ne pouvons arriver qu'avec du recul. »

CARE doit faire face à une autre question délicate, quand elle se trouve en situation de compétition aux côtés d'autres ONG et face à des donateurs privés et publics : celle des coûts. Guy Tousignant aborde ce point sans hésitation.

« Certains disent que nous sommes trop chers. Je sais pourquoi. CARE, spécialiste du développement, est présente dans 70 pays. Pour les situations d'urgence, nous pouvons employer du personnel temporaire ou à mi-temps. Nous intervenons dans les situations d'urgence mais notre principal travail est le développement et là, nous essayons de recruter les meilleures équipes permanentes, dans les pays où nous sommes implantés, ce qui coûte finalement plus cher. Nous ne prétendons pas forcément que nous sommes les moins chers. Là n'est pas la question. » Pour rappel, sur plus de 10 000 collaborateurs de CARE, 9 500 proviennent des pays où travaille l'organisation. CARE figure en quatrième position sur la liste du top 100 des œuvres caritatives établie par Non Profit Times sur la base du rendement des fonds récoltés, avec un taux de 91 % de ses rentrées consacrées à la réalisation de programmes.

Les Organisations Internationales : l'exemple du HCR

Haut Commissariat des Nations Unies pour les Réfugiés (HCR). – Les réfugiés dans le monde 2000, cinquante ans d'action humanitaire, *Paris, Editions Autrement, 2000, pp. 2-4 et 166-167 (extraits).*

Le mandat du HCR consiste à apporter une protection internationale aux réfugiés et à trouver des solutions à leurs problèmes. Traditionnellement, les solutions sont classées par le HCR en trois grandes catégories : le rapatriement volontaire, l'intégration locale dans le pays d'asile et la réinstallation depuis le pays d'asile vers un pays tiers. Différentes options ont été privilégiées à différentes époques.

Bien que la communauté internationale traite toutes ces questions d'une manière plus systématique et globale depuis 1950, les rapports ont toujours été tendus entre les différentes instances confrontées aux problèmes de déplacement forcé, et notamment entre le HCR et les Etats. Les Etats sont en effet les premiers partenaires du HCR : ils ont établi le cadre international du droit des réfugiés qui gouverne ses travaux ; ils sont membres de son Comité exécutif ; ils lui fournissent les fonds indispensables à son action ; ils l'autorisent à agir sur leur territoire. Mais le HCR est souvent contraint de s'opposer à eux, soit parce qu'ils provoquent eux-mêmes des flux de réfugiés, soit parce qu'ils manquent à leur devoir de protection et d'assistance.

Le mandat et les activités du HCR

Le mandat du HCR est le même depuis l'origine, en 1950. En revanche, l'environnement et la nature des activités entreprises par l'organisation ont énormément changé depuis cinquante ans.

Tout d'abord, l'ampleur des opérations du HCR s'est accrue dans de grandes proportions. Au début, l'organisation recherche des solutions pour les quelque 400 000 réfugiés toujours sans pays d'accueil à l'issue de la Seconde Guerre mondiale tandis qu'en 1996 elle assiste environ 26 millions de personnes. Son budget et son personnel ont beaucoup augmenté. En 1951, le HCR dispose de 300 000 dollars et 33 collaborateurs. En 1999, son budget dépasse le milliard de dollars et il emploie plus de 5 000 personnes. Au cours de ses premières années, il opère seulement en Europe, alors qu'en 1999, il a des bureaux dans 120 pays partout dans le monde.

Ensuite, les activités du HCR se diversifient graduellement ; elles passent d'un travail d'aide à la réinstallation des réfugiés européens à une multitude de nouvelles activités comme l'assistance matérielle (nourriture et abri, entre autres), les soins médicaux, l'éducation et d'autres services sociaux, cette fois-ci aux quatre coins du monde. Le HCR s'est aussi efforcé de ne pas traiter les populations de réfugiés comme une masse indifférenciée, il a élaboré des programmes adaptés à des groupes spécifiques comme les femmes, les enfants, les adolescents, les personnes âgées ou encore les personnes souffrant de traumatismes ou de handicaps physiques.

Les catégories de bénéficiaires du HCR n'ont cessé d'augmenter. S'il reste principalement un organisme de protection des réfugiés, il s'adresse, année après année, à de nouvelles populations comme les déplacés à l'intérieur des frontières de leur propre pays, les rapatriés (réfugiés ou déplacés internes rentrés chez eux), les demandeurs d'asile (dont le statut officiel n'est pas encore fixé), les apatrides, les populations touchées par la guerre, pour ne citer que les plus importantes.

L'élargissement du rôle du HCR à d'autres catégories que celle des réfugiés proprement dits est conforme à ses statuts. L'article 1er demande au HCR de rechercher des « solutions permanentes au problème des réfugiés », alors que l'article 9 stipule que l'organisation s'acquittera de « toute fonction supplémentaire que pourra prescrire l'Assemblée générale ». Les multiples résolutions de l'Assemblée générale, prises au fil des ans, constituent le fondement juridique d'un grand nombre des activités du HCR auprès de populations autres que celles de réfugiés.

Le nombre d'acteurs internationaux participant aux programmes de protection et d'assistance aux réfugiés et autres personnes déplacées a beaucoup augmenté. Au début des années 1950, le HCR n'a qu'une poignée de partenaires, contre plus de 500 ONG en 1999. Le Secrétaire général de l'ONU se tourne aussi de plus en plus fréquemment vers lui pour qu'il assume le rôle d'agence « chef de file » dans les situations d'urgence. Par ailleurs, le HCR collabore avec d'autres agences de l'ONU, les forces de maintien de la paix, d'autres forces militaires multinationales, des organisations régionales, des organisations de droits de l'homme et un éventail d'autres acteurs internationaux et locaux.

Enfin, l'organisation est de plus en plus impliquée sur le terrain dans des pays dangereux et instables voire même en plein conflit armé. A ses débuts, le HCR ne travaillait que dans des pays d'asile sûrs et qui n'étaient pas le théâtre de combats. Aujourd'hui, en revanche, les collaborateurs du HCR agissent souvent en pleine guerre et affrontent de nouveaux périls, ce qui présente de nouveaux défis pour l'Organisation.

Evolution en matière de financement

Les dépenses globales des gouvernements en faveur de l'aide humanitaire augmentent régulièrement en volume depuis cinquante ans. Elles ont fait un bond au début des années 1990, atteignant un pic de 5,7 milliards de dollars en 1994. En termes de proportion du produit intérieur brut (PIB), l'aide humanitaire diminue pourtant entre 1990 et 1998, passant de 0,03 %, à 0,02 %, soit 20 cents pour 1 000 dollars.

La différence entre l'aide publique au développement (APD) affectée par les gouvernements à l'aide humanitaire et l'aide au développement à long terme s'accroît considérablement, au début des années 1990. A son apogée en 1994, celle-ci représente 10 % de l'APD totale. Cette proportion baisse néanmoins à la fin de la décennie, passant à environ 6 % de l'APD en 1998.

Bien que le volume total du financement des opérations humanitaires par les gouvernements augmente, la proportion qui revient aux organisations internationales telles que Le HCR, par opposition à l'aide directe versée aux pays bénéficiaires ou à l'aide reçue par le biais d'organisations non-gouvernementales du propre pays du donateur, décroît. Les gouvernements accordent de plus en plus la priorité à des financements bilatéraux plutôt qu'à l'aide multilatérale.

Les dépenses et les sources de financement du HCR

Le budget du HCR a augmenté considérablement au fil de ses cinquante ans d'existence, au fur et à mesure de l'élargissement du champ de ses opérations. Il s'élève à seulement 300 000 dollars en 1951, pour atteindre les 100 millions au milieu des années 1970. Deux hausses particulièrement significatives peuvent être observées à la fin des années 1970 et au début des années 1990.

La première grande augmentation a lieu entre 1978 et 1980, alors que les dépenses sont multipliées par plus de trois, passant de 145 millions de dollars à 510 millions. Cette époque coïncide avec les grandes opérations d'urgence concernant les réfugiés d'Indochine. La seconde, de même ampleur, a lieu entre 1990 et 1993, avec des dépenses qui ont plus que doublé, passant de 564 millions de dollars à 1,3 milliard. Cette augmentation est largement due aux grandes opérations de rapatriement du début de la décennie et aux importantes opérations de secours au nord de l'Iraq et dans l'ex-Yougoslavie. Ensuite les dépenses baissent à nouveau jusqu'à 887 millions de dollars en 1998, avant de repasser la barre du milliard de dollars en 1999, en raison de la crise au Kosovo. Aucun de ces chiffres ne tient compte des contributions en nature, telles que tentes et médicaments, et en services (aide au transport ou autre). Si cela était le cas, ces chiffres seraient considérablement supérieurs.

Les dépenses engagées par le HCR dans les différentes régions du monde sont le témoignage de révolution de ses centres d'intérêt géographiques et de son champ opérationnel. Au début des années 1960, plus de la moitié des dépenses du HCR est consacrée à des programmes pour les réfugiés européens de la Seconde Guerre mondiale. Moins de deux décennies après, les sommes dépensées en Europe représentent seulement 7 % du budget total. En 1999, le HCR opère dans plus de 100 pays. Dans Les années 1990, il débourse en moyenne 40 à 50 dollars par « personne relevant de sa compétence » – qu'il s'agisse de réfugiés, de demandeurs d'asile, de rapatriés, de personnes déplacées à l'intérieur... – bien qu'il existe des différences importantes dans la dépense par tête en fonction des régions.

La principale source de financement du HCR a toujours été celle des contributions volontaires, émanant avant tout des gouvernements. A partir de 1990, en moyenne, moins de 3 % de son budget annuel provient du budget ordinaire de l'ONU. L'essentiel du financement des gouvernements vient d'un petit nombre de pays industrialisés. En 1999, par exemple, l'Amérique du Nord, Le Japon et les pays d'Europe occidentale représentent 97 % du total des contributions des gouvernements au HCR.

De plus en plus, les pays donateurs tendent à réserver leurs fonds à certains pays, programmes ou projets en fonction de leurs priorités nationales. En 1999, 20 % seulement des contributions n'étaient pas affectés, ce qui a réduit les possibilités du HCR dans l'utilisation des fonds là où ils étaient le plus nécessaires. En 1999, le HCR reçoit un peu plus de 90 % de l'enveloppe demandée pour les programmes en ex-Yougoslavie, et seulement environ 60 % de celle qui est demandée pour quelques programmes en Afrique. En vérité, la communauté internationale dépense plus de 120 dollars par personne relevant de la compétence du HCR dans l'ex-Yougoslavie, en 1999, soit plus de trois fois ce qui est dépensé par personne en Afrique de l'Ouest (environ 35 dollars). Même si l'on tient compte des coûts qui varient en fonction de la disparité géographique, cet écart entre les aides n'en demeure pas moins énorme.

Comme les autres organisations humanitaires, le HCR tente d'élargir sa liste de donateurs. Il encourage par exemple le secteur privé à lui envoyer des fonds pour des programmes humanitaires et à participer aux travaux de reconstruction après les conflits. En 1999, il a reçu environ 30 millions de dollars de contributions individuelles, de fondations, d'entreprises et d'organisations non-gouvernementales surtout en réponse aux événements du Kosovo et du Timor-Oriental. Dans certains cas, des sociétés proposent leurs services gratuitement pour les opérations d'urgence ; lors de la crise du Kosovo, Microsoft a offert au HCR du matériel informatique et des logiciels permettant l'enregistrement des réfugiés. En démarchant auprès des entreprises commerciales et du secteur privé en général, le HCR fait valoir que la réponse aux besoins fondamentaux des réfugiés et des personnes déplacées est une responsabilité collective.

Source : Les réfugiés dans le monde 2000, op. cit.

Graphique 1 - Contributions au HCR des principaux donateurs, en pourcentage de leur PIB (1)

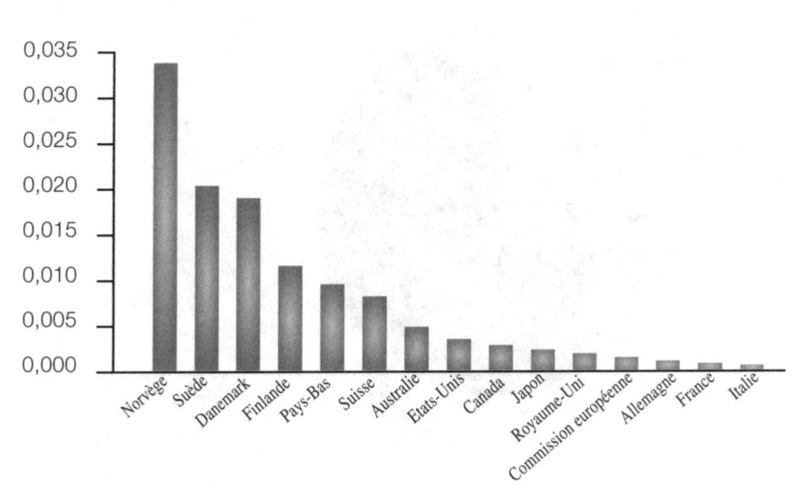

(1) Produit intérieur brut de 1998.

Sources : Banque mondiale, World Development Report 1999/2000, pp. 252-253 ; HCR.

Graphique 2 - Les 15 principales sources de contributions au HCR, entre 1980 et 1999 (en % du total des contributions).

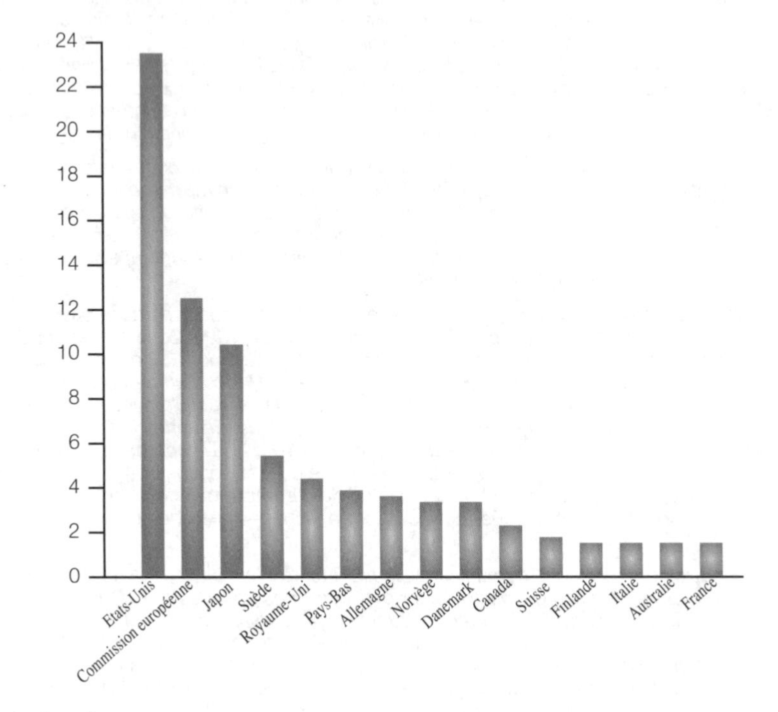

Graphique 3 - Dépenses engagées par le HCR, par régions, entre 1990 et 2000 (1)

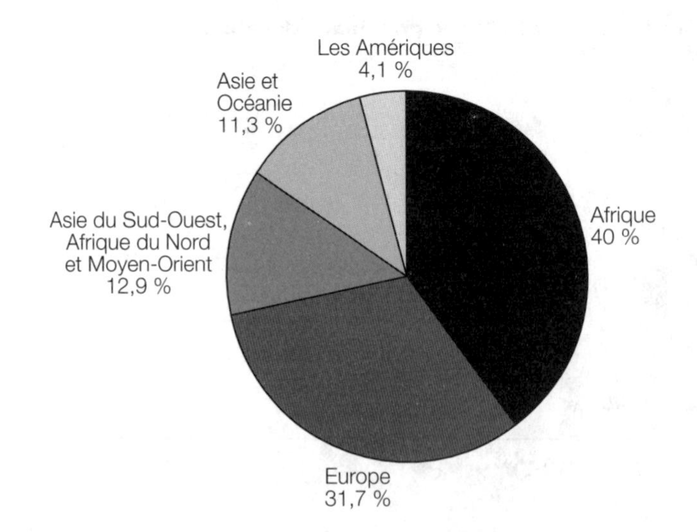

(1) Chiffres réels de 1990 à 1999 et estimations pour 2000.

L'action sur le terrain : hommes et moyens

Lutte contre les maladies et la malnutrition

Fournier (Christophe)*, Livio (Caroline)*. – *« MSF : auprès de toutes les victimes de la guerre ».* Messages, *journal interne de MSF, Paris, n° 114, avril 2001, p. 5.*

L'épidémie de paludisme qui frappe le Burundi depuis septembre 2000 est l'une des conséquences indirectes de la guerre. La diminution, voire l'arrêt du contrôle vectoriel depuis 1993, est l'un des facteurs qui explique l'émergence de cette épidémie, parmi d'autres éléments, des facteurs climatiques ou le développement des cultures dans les collines. Par ailleurs, les protocoles thérapeutiques que nous avons dû utiliser, inadaptés dans ce contexte épidémique, expliquent la durée particulièrement longue de l'épidémie. Nous sommes donc d'abord intervenus à Kayanza, province où MSF était présent à l'hôpital et dans plusieurs centres de santé puis, début décembre 2000, dans la province voisine de Ngozi. Notre intervention porte sur trois volets. Le premier concerne la détection rapide et le traitement le plus efficace possible des cas, en particulier les cas les plus sévères, par la présence dans les centres de santé et l'organisation de cliniques mobiles pour aller au plus près des malades. Le second volet a consisté en une action de lutte anti-vectorielle dans la province de Kayanza où de la deltamétrine a été pulvérisée dans 10 000 maisons. Enfin et surtout, nous avons cherché à obtenir pour nos patients les traitements les plus rapidement efficaces, car nous avions de bonnes raisons de penser que la chloroquine, et probablement le Fansidar, étaient très résistants.

Malheureusement, nous n'avons pas pu utiliser des dérivés d'artémisinine qui n'ont pas été conseillés par l'OMS. Cela nous a contraints à utiliser la combinaison chloroquine et Fansidar pour les cas simples, et la Quinine pour les cas sévères.

Pour étayer notre thèse selon laquelle ces médicaments n'étaient plus efficaces, nous avons réalisé des enquêtes de résistance dans la province de Kayanza, (MSF Belgique et MSF Suisse ont respectivement mené des enquêtes à Karuzi et Cankuso, trois autres enquêtes ont été réalisées dans trois autres provinces). Les résultats ne sont pas encore publiés, mais ils confirment d'emblée nos doutes : la chloroquine n'est plus du tout efficace et le Fansidar l'est trop peu. Il nous faut maintenant tester une autre combinaison qui associera probablement les dérivés de l'artémésinine. A l'heure actuelle, ces dérivés sont arrivés en quantité importante dans le pays sous forme de donations par Sanofi et des laboratoires chinois, ce qui a amené le ministère de la Santé à élaborer un protocole utilisant ces dérivés sous forme orale et injectable, réservés aux hôpitaux. Il s'agit pour nous d'une première avancée, car nous allons pouvoir les utiliser dans les centres de santé avec hospitalisation. Début avril, l'épidémie est en phase de réduction importante et nous avons arrêté les cli-

* Membres de MSF.

niques mobiles pour nous concentrer sur les centres de santé. Mais si le nombre de cas devait augmenter à nouveau pendant le pic habituel de mai-juin, nous réformerions des cliniques mobiles en les médicalisant au maximum pour utiliser ces dérivés et en faire bénéficier le plus grand nombre de patients. La question des protocoles représente un enjeu majeur. Le Burundi sera-t-il le premier pays de la région où l'OMS décidera de proposer de nouveaux protocoles ?

Pauvreté et malnutrition

La malnutrition que l'on observe dans certaines parties de provinces du Nord, Kayanza, Ngozi, Karuzi, est une autre des conséquences indirectes de la guerre qui affecte toute l'économie du pays. La densité démographique très importante dans ces régions, les facteurs climatiques, la maladie de certaines récoltes et les mouvements de populations expliquent également la précarisation de certaines franges de populations. De plus, les familles les plus précarisées bénéficient peu des distributions générales organisées par le PAM *(voir glossaire)*, car il faut savoir où et quand ces distributions ont lieu et payer pour être inscrit sur les listes tenues à jour par les administrateurs.

Une mission exploratoire a été menée fin janvier, mais nous n'avons pu ouvrir le premier CNT que début mars, après avoir attendu trois semaines l'autorisation administrative d'ouverture du centre. Depuis, le CNT a accueilli 1 000 enfants malnutris sévères et nos équipes réalisent un dépistage actif dans les collines, car la situation est très disparate d'une colline à l'autre. En parallèle, un important lobbying a été réalisé auprès des agences internationales. Le CICR va ainsi réaliser des distributions ciblées dans les communes identifiées comme étant les plus affectées. Ces distributions seront effectuées plusieurs mois, au-delà des prochaines récoltes, en juin. Nous espérons qu'elles auront un impact sur l'accès à la nourriture pour les populations les plus précarisées, ce qui nous permettrait d'envisager un retrait de la province de Ngozi.

Une de nos préoccupations majeures concernait également l'impact du paludisme sur les populations. Ainsi, en parallèle de l'enquête nutritionnelle, nous avons mené une enquête de mortalité rétrospective à Ngozi, qui couvre les mois d'octobre à mars. Les chiffres étaient alarmants : 1,7/10 000/jour à Ngozi et 5/10 000/jour pour les moins de 5 ans. L'évolution de la mortalité sur ces six mois suit clairement la courbe de l'épidémie de paludisme. Si l'on rapporte ces chiffres à la population totale de la province, on peut estimer que 9 000 personnes sont décédées du paludisme en 6 mois sur Ngozi, ce qui correspond probablement à des dizaines de milliers sur l'ensemble du pays.

Regain de violence

Même si ces chiffres sont sans commune mesure avec les deux cents victimes « officielles » des affrontements qui ont eu lieu en mars dernier dans le quartier de Kinama, au nord de Bujumbura, la situation est également très préoccupante dans la capitale.

Nous sommes présents depuis le 15 mars dans ce quartier, pour apporter un accès aux soins à ses habitants. Le seul poste de santé religieux avait été détruit par les affrontements, nous avons créé deux postes de santé provisoires, un au centre du quartier, le second au nord, pour les habitants qui reviennent chez eux pendant la journée, ou pour ceux qui vivent plus au nord de la capitale. 300 consultations y sont effectuées chaque jour. Les affrontements directs se sont éteints, mais les tirs à l'artillerie lourde continuent dans cette partie nord et à la périphérie immédiate de la capitale. En parallèle, nous poursuivons notre mission chirurgicale à l'hôpital de Kayanza, qui nous permet de prendre en charge les urgences chirurgicales de cette province de 500 000 habitants et les blessés qui pourraient arriver de la partie ouest de la province, ou en provenance de la forêt de la Kibira, régions également en proie à un regain de violence.

Enfin, nous envisageons de nous réinstaller dans la province de Makamba, à la demande des autorités locales et du ministère de la Santé. Makamba est une province en état de siège, soumise à une insécurité récurrente. Le contraste avec les provinces du nord est saisissant : les coltines sont vides et la population est rassemblée dans des camps de plusieurs milliers de personnes au voisinage immédiat de positions militaires. Les déplacés ont un accès aux soins très limité, les centres de santé sont souvent fermés, l'insécurité sur les chemins forçant l'absentéisme du personnel médical. Notre priorité est d'inclure un médecin dans l'hôpital de Makamba qui en est dépourvu (il n'y a qu'un seul médecin pour cette province de 300 000 habitants dont 100 000 déplacés) ainsi qu'une équipe chirurgicale et une équipe très restreinte sur certains centres de santé permettant de couvrir les camps de déplacés les plus importants.

La situation politique et les conséquences de la mise en place en RDC des accords de Lusaka nous font craindre un regain de tension sur une grande partie du territoire burundais. Il nous appartiendra donc d'être présents aux côtés des populations civiles qui, une fois de plus, risquent de faire les frais de cette violence.

Profils des militants de l'humanitaire

Siméant (Johanna)*. – *« Entrer, rester en humanitaire : des fondateurs de MSF aux membres actuels des ONG médicales françaises ».*
Revue française de Sciences Politiques, *Paris, vol. 51, n° 1-2, février-avril 2001, pp. 68-69 (extrait).*

Parce que les médecins ne sont absolument plus hégémoniques au sein de ces ONG, on peut penser que c'est en modulant l'analyse des coûts et rétributions de l'engagement en fonction des situations professionnelles que l'on peut nuancer les formes des carrières humanitaires. Sous cet aspect, porter attention à la profession est d'un intérêt qui ne se limite pas à l'humanitaire pour comprendre ce qui se joue dans le militantisme. Car c'est tout particulièrement au travers de l'analyse de la situation professionnelle (indicatrice à la fois d'une position sociale, d'une disponibilité plus ou moins grande, de dispositions constituées et aussi d'une temporalité propre) que l'on peut comprendre comment se modulent les coûts sociaux ou à l'inverse les rétributions de l'engagement.

La formation et l'activité professionnelle des humanitaires vont directement déterminer leurs perspectives au sein de ce milieu, leur façon d'envisager l'action humanitaire, par exemple comme une profession possible ou à l'inverse comme un

* Professeur de science politique, Université de La Rochelle.

engagement associatif épisodique. En effet, le coût de l'engagement n'est pas identique pour tous les candidats à l'humanitaire : si l'humanitaire épisodique et non salarié peut apparaître comme un prolongement naturel de l'activité médicale (d'autant que les médecins obtiennent sans difficultés majeures les disponibilités leur permettant d'assurer des missions de courte durée), peu de médecins quittent définitivement l'exercice classique de la médecine pour devenir des salariés de l'humanitaire. A l'inverse, l'exercice de l'humanitaire suppose pour des non médicaux une rupture plus profonde et une inflexion plus précoce de leur carrière professionnelle : on peut devenir médecin sans avoir pensé à faire de l'humanitaire, puis en faire, alors que nombre de jeunes candidats à l'humanitaire, n'ayant pas souhaité ou pu mener des études de médecine, infléchissent directement leur trajectoire professionnelle pour acquérir les savoirs aujourd'hui considérés comme les plus nécessaires au sein de l'humanitaire (études de gestion notamment). Cela suppose de prendre aussi bien en compte les effets sociaux des formes d'engagement que les classiques déterminants sociaux de l'engagement.

De la même façon, les rétributions de l'humanitaire, bien réelles souvent, ne sont pas univoques (même la satisfaction de se consacrer à un idéal peut être vécue de diverses manières, voire être entachée de sérieux doutes). Ce qu'offre l'humanitaire varie en fonction de la position sociale et de la profession : il peut aussi bien s'agir de l'expatriation, de l'aventure, de la possibilité d'un « don de soi » intense, de l'exercice de ses compétences dans un cadre exotique et pas toujours inconfortable, ou enfin d'un salaire. Les médecins spécialistes aptes à exercer directement en urgence cherchent souvent à exercer leurs compétences sur un mode « aventurier » et occasionnel. A l'inverse, certains généralistes peuvent plus facilement envisager le passage à un poste de salarié du siège, et les gratifications symboliques qui en découlent (prises de parole publiques, etc.) dans un contexte où le statut de médecin généraliste souffre d'un indéniable déclassement, rendant moins coûteux un détachement de la pratique de la médecine classique et de ses formes d'exercice en cabinet. Enfin, sur un très grand nombre de missions, et singulièrement pour les jeunes non médicaux, la situation d'un expatrié n'est absolument pas négligeable si on la compare avec ce qu'il connaîtrait en France : nourri, logé et blanchi dans des maisons disposant de gardiens et d'employés, disposant de véhicules 4x4 conduits par des chauffeurs, un volontaire humanitaire n'a à envisager presque aucun aspect de sa prise en charge quotidienne. Son indemnité trimestrielle lui permet d'épargner jusqu'à 5 000 FF (1) par mois, et d'amasser en quelques années d'expatriation un capital exceptionnel si on le compare aux capacités d'épargne des membres de la même classe d'âge. Si les coûts de l'engagement humanitaire sont indéniables (désinsertion du marché du travail français, dangers en situations de guerre et plus chroniquement risques de santé), ils doivent donc être rapportés aux situations des candidats à l'engagement (les cas les plus extrêmes, bien que minoritaires, étant ceux de certains volontaires médicaux issus de pays pauvres et pour lesquels la prime de volontaire humanitaire représente l'équivalent d'un salaire auquel ils ne pourraient jamais aspirer dans leurs pays d'origine).

(1) Voir p. 70-71, le texte sur les salaires dans le secteur humanitaire (NDLR de PPS).

La logistique : l'humanitaire en kits

Payet (Marc)*. – Logs. Les hommes-orchestres de l'humanitaire, *Paris, Editions Alternatives, 1996, pp. 13-15 (extrait).*

MSF Logistique, telle une PME innovante, invente le concept de kit humanitaire à la fin des années 80. Il s'agit d'un rassemblement d'articles, regroupés pour une fonction précise. Il en est ainsi, par exemple, du kit sanitaire d'urgence 10 000 personnes/3 mois. Sous ce vocable se cachent 800 kg de médicaments de base et de matériel chirurgical nécessaires à une équipe pour la prise en charge d'une population dans une zone isolée, sans autre possibilité d'accès aux soins. Autre genre de kit, dans le domaine non médical : le kit entretien 50 000 km/Toyota. Les véhicules utilisés par les équipes sont soumis à de rudes contraintes, et il est vital qu'ils soient toujours en bon état de fonctionnement. Ce kit comprend des plaquettes de frein, des filtres, tout le petit outillage... De fait, chaque problème est censé avoir sa solution et MSF Logistique met à la disposition de ses équipes une panoplie complète du parfait petit volontaire en mission, regroupée dans un Guide des kits, que les mauvaises langues de MSF baptisent « Catalogue de la Redoute », en raison de son volume et de la diversité de ses articles.

La variété est bien réelle, citons pêle-mêle les kits *catastrophe, 1 000 personnes/115 jours, sage-femme de village, médico-chirurgical 150 blessés, mégaphone, réservoir 15 m³, ordinateur portable, vie d'équipe, radio HF station de brousse*, ou plus surprenant *Zodiac Mark 2 Grand Raid*. Ces Zodiac ont servi lors d'inondations en Amérique du Sud.

Même si le mot n'est jamais employé au sein de l'organisation car il semble faire peur, comme symbole d'un virage à 180°, loin de l'amateurisme romantique des médecins volontaires des années 70..., la logistique se professionnalise à MSF.

Sur le terrain, à partir de cette liste de kits, les logisticiens font leurs commandes au centre de Bordeaux, qui leur envoie le matériel en retour le plus rapidement possible. A titre d'exemple, sur une urgence du type regroupement de population dans une zone isolée d'accès difficile, la réponse de MSF Logistique pourrait être : 3 kits sanitaires d'urgence 10 000 personnes/3 mois, 1 kit vie d'équipe (8 personnes), 2 véhicules tout-terrain Toyota PZJ 75, 2 kits 50 000 km PZJ 75, 2 kits outillage chauffeur, 1 kit outillage grosse mission, 1 kit administratif mission, 1 kit installation camp. Pas de poésie, mais l'efficacité est à ce prix.

Des avions gros-porteurs à disposition

Un des impératifs de la logistique, c'est de pouvoir acheminer rapidement, et en grande quantité, les produits vers n'importe quel point du globe touché subitement par une crise. La solution la plus rapide, c'est l'avion gros-porteur, baptisé *full-charter*. La base de MSF Mérignac a donc été opportunément installée au bord de l'aéroport international de Bordeaux-Mérignac. Lorsqu'une demande d'aide arrive aux bureaux de MSF, les kits d'urgence, déjà préparés à l'avance pour ce type d'inter-

* Journaliste.

vention, et sous-douane, sont chargés le plus vite possible dans les soutes d'avions. Ces derniers sont loués à des compagnies privées pour l'occasion, et acheminés le plus vite possible vers le lieu de destination. Exemple de réactivité : en un seul week-end, deux *full-charters* ont été chargés et sont partis pour deux destinations différentes avec du matériel bien spécifique : le 24 juillet 1993 un *full-charter* décollait avec 15 tonnes de matériel d'urgence pour parer à une épidémie de choléra en Afghanistan. Le lendemain, un avion acheminait lui aussi 15 tonnes de matériel, mais pour endiguer des inondations, et en direction du Népal. Ce type de performance aurait été littéralement impossible aux débuts de MSF.

En dehors de cette efficacité technique, les *French doctors* ont aussi un côté « French comptables ». MSF Logistique vend ses kits à d'autres ONG, et même à des agences de l'ONU, qui n'ont pas les moyens de se constituer eux-mêmes une logistique efficace.

Comme l'explique Jacques, « c'est comme lorsque vous voulez acheter des yaourts ou du lait concentré, vous n'allez pas chez le fabricant, vous allez dans un supermarché, parce que c'est plus simple ». Certaines ONG ont la même démarche, elles ne vont pas acheter leurs tentes, leurs médicaments, leurs voitures chez les différents fournisseurs, elles s'adressent à des grossistes, type MSF Logistique. « Parce que nous leur apportons aussi de la valeur ajoutée avec nos kits. Si l'on achète sa tente directement chez le fournisseur, les pieds risquent de partir d'un côté, la tente proprement dite de l'autre, alors que c'est impossible quand c'est regroupé en kit » conclut Jacques. MSF Logistique dégage une marge de 15 % sur les articles vendus, que ce soit aux ONG ou à MSF. Mais c'est une *Non Profit Organization*, structure rare en France, mais fréquente en Europe du Nord (comme Transfer, la base logistique de MSF Belgique). Donc elle ne peut pas vendre ses produits à des entreprises qui font du profit. En conséquence, la marge réalisée est utilisée en autofinancement, réinjectée dans le fonctionnement du centre de Mérignac.

Conséquence : MSF Logistique est maintenant un gros groupe (36 salariés, 140 millions de CA en 1994), qui stocke beaucoup de matériels différents : 1 800 produits médicaux (médicaments, matériel médical et laboratoire) et 2 500 articles logistiques (véhicules, radiocommunication, traitement de l'eau, abris, chaîne de froid...). Ces produits sont les éléments de base qui rendent possible l'intervention d'une équipe MSF. Bien évidemment, les besoins ne sont pas les mêmes s'il s'agit d'une catastrophe naturelle (tremblement de terre, inondation), d'une épidémie (rougeole, choléra) ou de la prise en charge de personnes réfugiées. Mais cette rationalisation des interventions apporte incontestablement une plus grande efficacité.

L'humanitaire en questions
La critique externe

Alibi et substitut du politique ?

Senarclens (Pierre de)*. – L'humanitaire en catastrophe, *Paris, Presses de Sciences Po, 1999, pp. 100-106 (extraits).*

Les médias joueront une fois encore un rôle important dans la guerre en Yougoslavie, qui deviendra rapidement une affaire de politique intérieure pour tous les pays occidentaux. Ce conflit apparaît d'emblée comme une crise internationale de première grandeur. Il se déroule dans le monde des Balkans, foyer de tant de guerres européennes. Il engendre un flot massif de réfugiés et risque de déstabiliser l'ensemble de la région. Il frappe immédiatement par sa violence et sa cruauté. La communauté internationale doit intervenir, mais comment ? La médiation diplomatique ? Il ne manque pas d'instances et d'hommes politiques pouvant assumer ce rôle : l'Union européenne, l'OSCE (l'Organisation pour la sécurité et la coopération en Europe), les Nations Unies. Jamais l'Europe n'a disposé d'autant d'instruments pour gérer ses conflits. Dès le début de la crise yougoslave, l'Union européenne multiplie les conférences et les efforts de médiation, qu'elle appuie par l'envoi d'observateurs non armés. Le Secrétaire général des Nations Unies nomme son propre représentant spécial. L'OSCE envoie également des observateurs. (...)

Confrontées à l'insuccès de leur politique, les puissances occidentales se défaussent de leur échec en chargeant l'ONU, masquant ainsi leur refus d'agir pour mettre un terme à la guerre. De 1991 à 1995, le Conseil de sécurité va passer plus de 100 résolutions sur la Yougoslavie. Pour imposer et renforcer l'embargo sur les armes, pour engager des forces de maintien de la paix, pour dénoncer l'épuration ethnique et d'autres violations des droits de l'homme, pour protéger les convois humanitaires, pour mettre en place des zones de sécurité humanitaire. En vain. Les Casques bleus sont déployés en Bosnie-Herzégovine au printemps de 1992, alors que la guerre civile se poursuit. Le Secrétaire général tente bien de rappeler aux membres du Conseil de sécurité qu'il est risqué de déployer des Casques bleus tant que la guerre continue. Rien n'y fait. C'est la poursuite d'un engrenage fatal pour les Nations Unies, celui d'une politique incertaine et confuse qui n'apporte ni la sécurité ni la protection du droit humanitaire et qui mine l'autorité de l'organisation mondiale. Sarajevo continue d'être bombardée et l'assistance aux populations civiles reste aléatoire, soumettant les soldats de l'ONU et les humanitaires à des

* Professeur à l'Université de Lausanne.

risques importants, leur imposant des négociations continuelles avec les militaires et les milices des différents camps. L'autorité des Nations Unies est mise à rude épreuve, mais ces négociations sont nécessaires, car les routes que doivent emprunter les secours, de la Bosnie centrale à Gorazde, traversent des montagnes, des défilés, des dizaines de ponts que n'importe quelle bande armée peut barrer.

La mission des Nations Unies est confrontée à d'autres contradictions, plus graves encore. De par sa nature, l'assistance humanitaire doit être impartiale. Il est toutefois difficile de maintenir cette attitude lorsque l'aide est détournée par des soldats et des milices qui commettent des exactions et qui attaquent les convois humanitaires. Le Conseil de sécurité complique encore le rôle des Nations Unies en imposant des sanctions économiques à la Serbie. Au début de l'année 1993, il autorise les Casques bleus à recourir à la force pour accomplir leur mandat. Comment concilier, dans un même mandat, acheminement des secours humanitaires et usage de la force ? (...)

Dans ces circonstances tragiques, la préservation d'un espace humanitaire est bien compromise. C'est pourtant le but que poursuivent les Nations Unies et les ONG. Avec des succès contestables. Il est vrai qu'en Bosnie-Herzégovine des milliers de personnes sont secourues et protégées par le déploiement des Casques bleus, par le HCR, par le CICR et par les nombreuses ONG qui appuient sa mission. A Sarajevo, comme en d'autres villes et d'innombrables villages, des populations sont soignées et ravitaillées en nourriture, en vêtements et en abris. Les soldats de la paix et les humanitaires accomplissent à cet égard un travail admirable, en assumant leur mandat avec un courage souvent exemplaire, qui coûte la vie à beaucoup d'entre eux. Le pont aérien qui ravitaille Sarajevo devient le plus long de l'histoire. Il permet à la population de subsister durant plusieurs hivers. Mais l'intervention humanitaire n'interrompt pas la guerre, qui est la cause des morts, des exils, des souffrances physiques et psychologiques endurées par les populations. Elle contribue même à la prolonger, puisqu'elle nourrit également les combattants. Selon l'Unicef, les Serbes qui assiègent Sarajevo détournent 30 % de l'assistance qui est destinée à la ville. L'action humanitaire joue également l'équivoque en épaulant un processus de négociation sans issue, dont chacun sait qu'il repousse le temps d'un véritable engagement militaire des puissances occidentales. (...)

De toute évidence, cette guerre interminable ne peut plus être résolue sans intervention militaire. Le gouvernement américain, qui porte une si grande responsabilité dans le sabotage du plan Vance-Owen, est alors décidé à s'impliquer dans ce conflit. Il s'est employé à réarmer et à entraîner les forces croates qui le 4 août 1995, passent à l'offensive contre les forces serbes de la Krajina. Cette attaque est victorieuse, notamment parce qu'elle coïncide avec des frappes aériennes de l'Otan. Elle est suivie d'une opération d'épuration ethnique impitoyable, dirigée cette fois contre la population serbe, une communauté implantée dans la région depuis des siècles. Ainsi, après quatre longues années d'une guerre atroce, qui a fait plusieurs centaines de milliers de victimes, le négociateur américain, le très machiavélique Richard Holbrooke, parvient à faire céder les dirigeants serbes de Pale et de Belgrade. Parfois, le recours aux armes est nécessaire pour préserver la vie et la dignité des hommes ou pour leur redonner la capacité de choisir. Rétrospectivement, on peut naturellement regretter que la communauté internationale ne soit pas intervenue plus fermement auparavant. On se prend même à rêver d'une guerre interrompue durant l'automne de 1991, au moment du siège de Vukovar, avant qu'elle n'engendre tant de massacres, d'exodes et de souffrances, qu'elle ne détruise tant de villes et de villages.

Une nouvelle forme de l'ingérence occidentale ?

Tardy (Thierry)*. – *« Ingérence humanitaire et logique de puissance ».* Géoéconomie, *revue de l'Institut européen de Géoéconomie, n° 14, été 2000, pp. 96-100 (extraits).*

L'ingérence humanitaire : abus et politique sélective

La quasi totalité des conflits de la décennie 1990 ont entraîné des situations de grande précarité pour les populations locales, lesquelles ont été, à de nombreuses reprises, en proie à des « crises humanitaires » graves.

Parallèlement, l'acceptation du principe d'ingérence humanitaire, voire d'un droit à l'ingérence humanitaire, pourrait nous fonder à penser que toutes les situations de « crise humanitaire » méritent qu'une action soit menée pour tenter d'y remédier. Il n'est en effet pas illogique que, se plaçant sur le terrain des valeurs et de leur défense, l'on préconise, dans un souci de cohérence, que les situations d'urgence humanitaire soient traitées de façon relativement semblable d'un cas à l'autre.

Or, il apparaît que les crises humanitaires donnent lieu à des traitements par les Etats et organisations internationales tout à fait différents selon les cas, et pour des raisons qui ne sont pas liées à la gravité de la crise en question. Sans minimiser les souffrances de la population albanaise du Kosovo au cours de l'année 1998 et des trois premiers mois de l'année 1999, celles-ci ne sont en rien comparables à celles que subit la population tchétchène à partir de septembre 1999. Il suffirait de s'arrêter sur les conflits qui ont touché l'Afrique au cours des années 1990, de l'Algérie au Liberia, du Rwanda à la Sierra Leone, du Congo à l'Angola, pour constater que les atteintes aux droits de l'Homme ne constituent pas des éléments suffisants pour motiver l'intervention extérieure. De fait, les Etats mènent des politiques sélectives, qui ne sont que marginalement déterminées par la prise en compte de la souffrance humaine.

Pour les partisans de l'ingérence humanitaire, une politique sélective n'enlève rien aux vertus des quelques interventions menées. Mais cette sélectivité de la réponse ne signifie-t-elle pas précisément que les motifs de l'intervention sont à chercher ailleurs que dans les considérations d'ordre humanitaire ? Est-il possible de défendre la thèse d'une intervention fondée sur la morale alors que les intervenants restent passifs face à des situations qui, au même moment, entraînent des violations massives des droits de l'Homme ? (…)

Ensuite, l'ingérence humanitaire est, pour des raisons de rapport de force bien comprises, le fait d'Etats puissants à l'encontre d'Etats plus faibles, quel que soit le rôle dévolu à l'ONU ou à d'autres organisations. A l'ingérence est associée la capacité des grands à imposer leurs règles aux petits, et exprime en conséquence une relation à sens unique. Quelle que soit la gravité des violations des droits de l'Homme, et quoi que dise par ailleurs le droit international, il sera toujours extrêmement difficile d'intervenir en Russie ou en Chine, mais aussi en Turquie ou en

* Chargé de recherche à la Fondation pour la Recherche Stratégique (FRS).

Indonésie (1). Et l'ingérence humanitaire aux Etats-Unis ou en France est encore plus impensable, même s'il est aujourd'hui difficile d'identifier les scénarios qui rendraient « nécessaires » des ingérences dans ces deux pays.

La définition des conditions de l'ingérence humanitaire incombe, de la même façon, aux Etats occidentaux, en fonction de leurs conceptions, à un moment donné, de ce qui doit ou pas justifier une intervention. Est alors posé le débat sur la subjectivité de valeurs universelles évolutives et contestées, mais qui pourtant pourraient fonder une nouvelle doctrine. Certes, la codification des règles de droit international résulte très largement de la traduction des rapports de force entre Etats, mais le risque est élevé d'élargir le fossé qui sépare les Etats occidentaux (ou du Nord) et ceux de l'Est ou du Sud.

Les ambiguïtés des positions des Etats

Il convient ici de souligner les ambiguïtés des positions des Etats. Après l'expérience du Kosovo, et en dépit des avancées que peuvent représenter les tribunaux pénaux internationaux et la Cour pénale internationale, les Etats occidentaux ne sont pas, en fait, disposés à généraliser les ingérences. Les réticences françaises à l'égard de la Cour pénale internationale ou le refus américain de signer ses statuts marquent les limites de leur détermination. Mais au-delà, les Occidentaux ne souhaitent pas fondamentalement remettre en cause les principes définis dans la Charte des Nations Unies, dans la mesure où un tel mouvement les entraînerait dans une politique d'intervention qu'ils ne souhaitent pas. Le Kosovo doit rester l'exception plutôt que devenir la règle ; l'abstention en Tchétchénie ou au Timor oriental au cours de la première quinzaine du mois de septembre 1999 (soit avant l'accord du gouvernement indonésien pour une intervention) en témoigne. Mais dans le même temps, le discours consistant à qualifier la mise à l'écart du Conseil de sécurité d'exception et non de précédent est un discours de façade, étant entendu qu'une telle décision fut le résultat d'une situation non exceptionnelle et donc amenée à se reproduire.

De leur côté, si les pays en développement sont majoritairement opposés à toute remise en cause de la souveraineté des Etats et donc au développement des ingérences (2), c'est aussi parmi eux que l'on trouve ceux qui souffrent le plus de l'abstention et de la non-intervention, en Afrique en particulier. Rappelons en outre que les résolutions adoptées à la fin des années 1980 par l'Assemblée générale de l'ONU sur le « droit d'assistance humanitaire » l'ont été avec le vote de nombre de pays dits du Sud, qui peuvent être demandeurs d'interventions extérieures.

Parmi ces Etats cependant, la Russie, la Chine, l'Inde et nombre d'Etats musulmans s'opposèrent au contournement du Conseil de sécurité et à la violation de la souveraineté de la Yougoslavie, et sont aujourd'hui opposés à toute évolution allant dans le sens d'une nouvelle doctrine des interventions. Une telle contestation ne saurait être sous-estimée sans risques par des Etats occidentaux soucieux de redéfinir seuls les règles du jeu, et au mépris des positions de puissances régionales de premier plan.

(1) Voir sur ce point Hassner P., « Paix et guerre en Europe » (entretien), *La Revue socialiste*, octobre 1999.
(2) Voir le discours du président algérien Bouteflika devant l'Assemblée générale des Nations Unies. New York, 20 septembre 1999.

Critique interne

Le risque d'un humanitaire de substitution

Goemaere (Eric)*. – *« Une ONG au Ministère », in :* Utopies sanitaires, *Médecins sans frontières, sous la direction de Rony Brauman, Paris, Editions Le Pommier, 2000, pp. 237-241 (extraits).*

De facto, le Tchad sous-traite son plan de santé à une ONG. A N'Djamena, MSF dispose, dès 1983, d'un réseau radio performant, collecte l'information, dresse les courbes épidémiologiques et planifie les programmes. Le bureau de MSF est adjacent au ministère de la Santé. Celui-ci ne parvient pas à obtenir les mêmes résultats : l'ensemble des données fiables sur les dix préfectures se trouve au sein de MSF, qui met en place, en 1983, un programme de « surveillance épidémiologique », précurseur du futur bureau de planification du ministère de la Santé lancé par l'USAID (*United States Agency for International Development*) en 1986.

Jusque-là, le bureau de planification, c'est MSF. Les visites de délégations étrangères et de donateurs divers ne passent au ministère de la Santé que pour les salutations d'usage : tous savent que les informations utiles à la décision se trouvent dans le bureau de MSF. Cette organisation pose les bases de la planification nationale par la mise en chantier, dès 1983, d'un grand exercice de recensement de toutes les structures sanitaires et du personnel existant dans la zone du projet.

Cette substitution dans les responsabilités n'est pas une dérive inconsciente mais s'inscrit dans une volonté manifestée par les décideurs internationaux d'avoir recours à des agences extérieures : MSF est efficiente et son système permet aux donateurs d'éviter de confier des sommes trop importantes à un ministère considéré comme peu opérationnel et donc peu fiable. Cette situation irrite bien sûr les partenaires tchadiens mais le pragmatique directeur général de la Santé l'accepte habilement : il est conscient de la mauvaise image de ses services publics, fortement déstabilisés par une guerre sans fin, tandis que l'intermédiaire MSF et son efficience prouvée constituent un bon appât et une garantie pour les donateurs du secteur santé. Entre un nationalisme pointilleux et une large ouverture à l'étranger, quitte à passer un contrat de sous-traitance avec une ONG internationale, il opte clairement pour la deuxième solution. En fin de compte, il se ménage suffisamment de présence pour s'assurer que les résultats engrangés sont affichés à son tableau politique.

Dès 1983, MSF utilise même largement des fonds du FED, fonds attribués aux gouvernements en coopération multilatérale directe et donc en théorie non accessibles aux ONG. L'utilisation de ces fonds, rare dans l'expérience de MSF (si le Tchad était une première, le phénomène se renouvelle par la suite au Mali et en Guinée), montre de façon irréfutable, compte tenu des montants en jeu, la collusion d'intérêt entre les trois parties : le ministère de la Santé, le donateur – la Commission européenne – et, pour la mise en œuvre, un acteur issu du système international.

* Economiste et médecin. Ex-directeur de MSF-Belgique.

Les résultats sur le terrain sont indéniables, mais l'évolution des programmes dans le temps entraîne un rapprochement inévitable et donc une confrontation accrue entre les échelles de priorités : l'équilibre, précaire, finit par se rompre avec le temps et les changements de personnes, révélant les tensions inéluctables entre un ministère de la Santé dépossédé de son rôle et une ONG omniprésente. Un incident symbolique, survenu en 1985, illustre bien cette tension : le directeur général de la Santé, confronté à l'impossibilité de reprendre les activités de MSF étant donné la carence de médecins tchadiens et le refus de ceux formés à l'étranger de rentrer au pays, décida de mettre en chantier une faculté nationale de médecine. Mais il lui était impossible de convaincre les donateurs internationaux de financer un projet aussi ambitieux sans convaincre au préalable leur intermédiaire privilégié, MSF. Or ce type de projet, très coûteux en ressources financières et humaines et sans résultats immédiats, n'entrait pas dans les priorités d'une organisation axée sur la formation *in situ* et la recherche de résultats tangibles à plus brève échéance. Même si, dès le début, la partie tchadienne n'envisageait pas d'obtenir un franc de subside de MSF, il lui fallait tenter de contourner l'opposition déclarée de l'ONG à ce projet. L'histoire devait lui donner gain de cause, puisque la faculté existe maintenant depuis bientôt huit ans et que les premiers médecins nationaux formés en sortent maintenant en nombre significatif.

Au sein de MSF, les dérives de la substitution sont clairement reconnues dès 1986 mais restent assumées car elles se justifient par l'efficacité des programmes en périphérie et la priorité donnée aux populations, valeurs maîtresses au sein d'une organisation humanitaire.

Un désengagement rapide est toutefois planifié dès 1987, les tensions devenant intenables : il est temps de céder la main mais, pour éviter la débâcle, la transmission se fera non pas directement avec le ministère de la Santé, mais avec un autre opérateur international, AEDES (Association européenne pour le développement et la santé, entité créée par MSF en 1984 pour reprendre des actions de développement au Zaïre), sans doute mieux équipé tant en termes de priorités que de ressources humaines pour vivre cette cohabitation.

Trop heureuse de se débarrasser de cette immense responsabilité, MSF ne quitte pas le pays mais choisit de concentrer ses moyens sur une seule préfecture, le Mayo Kebbi, et tente dès lors de corriger les dérives de déresponsabilisation des cinq premières années en cherchant auprès des services périphériques et des bénéficiaires des services de santé une réponse qu'elle n'avait pas trouvée au niveau central.

Cette politique se marque par la mise en place d'une stratégie d'appuis complémentaires et non plus substitutifs, avec la mise en place de districts sanitaires, la création de comités de santé et de stage de formation pour cadres et jeunes médecins nationaux étudiant à la faculté de médecine.

Il ressort en effet de cette expérience que, s'il y a inévitablement déresponsabilisation dans l'urgence – on ne demande pas au polytraumatisé quels sont ses choix prioritaires –, le risque est grand d'accentuer encore cette perte d'autonomie. La dépendance économique qui s'instaure progressivement par les modes de financement internationaux des services sociaux des pays les plus pauvres dépossède inévitablement les plus démunis de tout droit et de tout contrôle sur les services existants.

Des interventions plus complexes et plus difficiles

Dilemmes moraux

Moore (Jonathan)*. – Des choix difficiles. Les dilemmes moraux de l'humanitaire, *sous la direction de Jonathan Moore, Paris, Gallimard, 1999, pp. 13-21 (extraits).*

Le phénomène de l'intervention humanitaire dans son ensemble a, au cours des années récentes, connu un accroissement exponentiel. Il a aussi profondément évolué. Les préoccupations de l'époque de la Guerre froide ont cédé la place à des crises internes aux Etats, face auxquelles la communauté internationale ne peut rester passive. Ces problèmes sont devenus plus complexes, avec leurs terribles associations de pauvreté, de compétition dans l'accès aux ressources, de déplacements de population, de tensions ethniques, de luttes de pouvoir, de violence et de destruction. (...)

L'intervention humanitaire dans les situations d'urgence les plus aiguës est guidée par une diversité de motifs et englobe de multiples composantes que l'on ne saurait dissocier, ni dans la théorie ni dans la pratique. De toute évidence, ces opérations peuvent recouvrir un grand nombre de motivations et d'objectifs, ce qui soulève immédiatement des questions de compromis sur le plan moral ; il ne fait cependant aucun doute que l'intention d'alléger les souffrances humaines figure au premier rang de ces objectifs.

Dans le même temps, la « communauté internationale » est plongée dans la confusion et la contradiction quant à la conduite à adopter dans la plupart des cas où les conflits internes provoquent des besoins humanitaires. Comment définir nos besoins individuels et collectifs ? Quelle cohérence donner à leur réalisation ? jusqu'où la rhétorique peut-elle nous tenir lieu d'action, l'illusion prendre la place de la réalité, la timidité du courage, l'indulgence de la fermeté ? Sur quoi débouchera notre réflexion morale ? Nous vivons dans un monde où la volonté politique se montre versatile, où dominent l'impatience et l'incertitude, où le consensus s'effrite et où les ressources se raréfient. Les besoins demeurent plus grands que la capacité de les satisfaire, et l'ampleur de la tâche dépasse la réponse apportée concrètement par les nombreuses mesures et les acteurs en présence. Il est d'autant plus important, dans une situation de ce genre, que toute intervention soit conçue avec le plus grand soin et mise en œuvre de la manière la plus scrupuleuse.

Les préoccupations d'ordre moral n'échappent pas à cette confusion et à cette complexité générales. Elles sont intimement mêlées au débat, souvent de manière dis-

* Ancien haut-fonctionnaire américain. Conseiller auprès de l'administrateur du PNUD.

cordante ; non seulement les impératifs moraux sont confrontés à des facteurs plus matériels et temporels, mais encore ils entrent en conflit les uns avec les autres. Il est donc indispensable, dans un tel contexte, de redoubler d'engagement et d'ingéniosité pour que ces préoccupations soient intégrées à la réflexion qui doit précéder et accompagner de tels actes d'intervention. Le processus de décision politique, préoccupé au premier chef par les pressions immédiates, ne saurait se dispenser d'une réflexion, morale, qui, de surcroît, doit se garder de toute naïveté. (…)

S'il est un engagement essentiel qui ressort de cette réflexion collective, c'est, me semble-t-il, celui d'embrasser le défi dans toute sa complexité plutôt que d'esquiver cet ensemble – dont l'ampleur a, il est vrai, quelque chose d'effrayant – pour adopter une vision ou une stratégie plus étroite ou plus partielle. Trois conditions préalables peuvent être dégagées, trois principes fondamentaux qui doivent être respectés pour que les interventions humanitaires puissent être considérées dans toute leur complexité : compréhension, intégration et pragmatisme. Ces notions sont peut-être fondamentales au point d'être douloureusement évidentes, mais l'histoire moderne des interventions humanitaires montre pourtant que loin d'être au premier plan, elles brillent souvent par leur absence.

Il est nécessaire, dans un premier temps, d'avoir une compréhension aussi complète que possible des réalités, d'éviter de formuler des hypothèses non étayées ou de s'appuyer sur des informations superficielles, mais de comprendre avec respect et sérieux les relations entre les forces et les acteurs en présence, et avant tout de comprendre la situation dans le pays qui doit bénéficier de l'intervention. En deuxième lieu, il en découle que les divers aspects de l'intervention – humanitaire, économique, politique, militaire, multilatéral, bilatéral, régional et local – doivent être mobilisés de concert ; il faut, pour que l'opération réussisse au mieux, qu'ils s'emboîtent parfaitement afin d'éviter les maillons faibles ou manquants. Les facteurs imprévus ou gênants ne peuvent être purement et simplement exclus ; il faut, d'une manière ou d'une autre, les intégrer et les assumer. Troisièmement, et c'est là une vérité fondamentale, si les meilleures intentions, les motifs les plus méritoires et les politiques les mieux avisées ne peuvent être efficacement traduits en actes et appliqués de manière fructueuse, leur portée morale n'est guère qu'une abstraction ou un songe creux. On pourrait dire en somme que pour être moral il faut être opérationnel, et cet impératif de pragmatisme exige que l'on sache faire preuve d'esprit de compromis et de souplesse.

Ces quelques éléments semblent combiner absolutisme et relativisme moraux, dans une dialectique dynamique et non dans une opposition statique. Les impératifs moraux ne peuvent prendre corps et se traduire en actes que s'ils sont appliqués de manière relative, dans le respect et la tolérance d'autres valeurs absolues et des exigences de la réalité. Pour que l'idéal moral conserve toute son intégrité, il faut éviter de le définir de manière réductrice, par comparaison ou par son contexte ; on ne saurait pour autant l'appliquer de manière rigide ou dogmatique. La mise en œuvre exige le courage de l'interprétation morale.

Relation ambiguëe aux médias : entre information et communication

Backmann (René)*, Brauman (Rony)**. – Les médias et l'humanitaire : éthique de l'information ou charité spectacle, *Paris, CFPJ éditions, 1996, pp. 64-82 (extraits).*

Froid contre chaud

Soyons clairs : les rapports entre l'humanitaire et les médias qu'il s'agit ici d'examiner sont, d'abord et surtout, des rapports entre l'humanitaire et la télévision. Non que la presse écrite soit absente du jeu. Elle a sa part dans le lancement des campagnes d'information ou de sensibilisation des grandes organisations non gouvernementales (ONG). Elle ouvre ses colonnes à leurs responsables, accueille – plus ou moins spontanément et généreusement – leurs informations, sollicite leurs avis, accepte leurs invitations et participe à sa façon, nous le verrons, au grand bazar de la charité-spectacle. Mais on ne peut négliger quelques données de base : à lui seul, le journal télévisé de TF1 a, chaque soir, en moyenne, une audience (8 à 9 millions de téléspectateurs) supérieure à la diffusion des soixante-six quotidiens nationaux et régionaux disponibles en France. Et, selon les enquêtes du ministère de la Culture, 5 Français sur 100, seulement, ne regardent jamais la télévision alors que le pourcentage de nos concitoyens qui ne lisent aucun quotidien dépasse 20 %. (...)

Le doute rôde

Impossible d'examiner les rapports entre l'humanitaire et les médias sans prendre quelques pas de recul, élargir le champ et s'intéresser un peu aux relations entre les médias, notamment audiovisuels, et la société. Même s'il existe souvent entre ONG et rédactions des liens spécifiques – disons un mélange instable de défiance et de complicité, du type « je t'aime, moi non plus » –, il s'agit seulement d'une facette, somme toute modeste, d'un plus vaste problème : celui de la défiance croissante qui s'est installée en France entre les citoyens et les grands moyens d'information. (...)

Voilà pourquoi, faute d'expliquer au téléspectateur pour quelles raisons un enfant somalien, afghan ou rwandais meurt de faim, on préfère l'émouvoir avec l'image d'un petit corps décharné. Voilà aussi pourquoi les quotidiens et les magazines ont si souvent recours à ceux que Pierre Bourdieu appelle « les intellectuels médiatiques », au lieu de trouver et d'interroger les véritables spécialistes lorsqu'ils sont confrontés à des sujets que les rédactions jugent « difficiles » comme l'islam, l'intégrisme religieux, l'intolérance, l'immigration, le sous-développement, le terrorisme, le racisme, les droits de l'homme.

* Journaliste.
** Ex-président de MSF.

D'approximation en simplification, l'incompétence s'ajoutant à la manipulation, les médias ont fini par oublier leurs repères et laisser la communication, insidieusement, se substituer à l'information. L'humanitaire ayant été confisqué par les Etats pour dissimuler leur cynisme ou leur impuissance, les journalistes, après les ministres, ont fini par baptiser « intervention humanitaire » le débarquement des *marines* en Somalie, et par nommer « catastrophe humanitaire » ce qui était, au Rwanda, un génocide. Au crime de non-assistance à peuples en danger commis par les politiques au Kurdistan, en Bosnie, en Somalie, au Rwanda, les médias ont ajouté le délit de détournement de mots. Sans voir, peut-être, qu'ils étaient ainsi complices d'une tragédie historique : la défaite de la morale, vaincue par la pitié. (…)

La Somalie n'était pas un terrain vague livré à des hordes d'assassins, mais une société complexe dont l'histoire et l'organisation méritaient davantage d'intérêt. Les humanitaires, qui étaient sur le terrain bien avant les journalistes avaient appris à connaître le pays et suivaient de près l'évolution de l'attitude des Nations Unies. Ils pouvaient être d'un grand secours. Ils ont été abondamment sollicités par la presse mais, apparemment, trop peu écoutés. Avaient-ils du mal à transmettre un message qui s'écartait de l'habituelle évaluation des morts, des mourants, des affamés et des tonnages à distribuer ? Ou les journalistes étaient-ils incapables d'exploiter un discours trop « politique » et trop complexe pour émouvoir ? (…)

Inutile d'invoquer ici, pour expliquer l'âpreté de la critique, le stress, l'isolement, la fatigue, les coups de déprime ou de colère d'une équipe dérangée dans son travail.

N'importe quel observateur de bonne foi, qui a fréquenté pendant quelques années les missions des organisations humanitaires, ou assisté à leurs assemblées générales annuelles, ne peut ignorer que ce jugement, avec quelques nuances positives ou négatives, est largement répandu. Pourquoi ? Parce que des exigences contradictoires opposent, sur le terrain, humanitaires et journalistes. Les premiers ont besoin de temps pour travailler. Il leur faut établir des contacts avec les autorités locales, parcourir le terrain pour évaluer la nature et l'ampleur des besoins, tenter de mesurer les rapports de forces, comprendre les enjeux, identifier les sources de pouvoir. Les seconds, au contraire, n'ont pas une seconde à perdre. Le marché aux images n'attend pas. A cela s'ajoutent parfois des conflits plus personnels, des incompatibilités d'humeur ou de culture. Ecoutons encore *Marianne* : « Au secours, au secours. Il y a actuellement une équipe de télévision américaine dans notre hôpital. De drôles de mecs, ces Ricains. La vie de brousse ne leur convient vraiment pas. Cela fait trois jours qu'ils repoussent littéralement tout ce que nous leur offrons. Même l'eau bouillie et filtrée pour le thé et le café. […] Ils vivent de Coca et de candy bars. »

Ethique, codes de conduite et qualité de l'aide

Actes du colloque ETIKUMA 99, Les codes de conduite : référence éthique et gage d'efficacité pour les actions humanitaires internationales du IIIe millénaire ?, *Lyon, et Paris, DESS développement et coopération et Bioforce, 2000, pp. 43-44 et 175-177 (extraits).*

Pour un code de conduite commun aux ONG (Nan Buzard, coordonnatrice du Projet Sphere, Royaume-Uni)

Je vais commencer tout de suite par la question suivante : quelle est la raison fondamentale qui fait que nous sommes tous engagés dans l'action humanitaire ?

Est-ce parce que nous y avons trouvé un bon emploi ? Est-ce parce que cela nous donne le sentiment d'être des héros ? Est-ce que c'est parce que nous aimons l'aventure, découvrir de nouveaux endroits, de nouveaux défis, nous promener en jeep, parler à la radio, renverser quelques poules alors que nous courons à la prochaine réunion ? Je ne crois pas, je crois que c'est parce que nous ressentons un impératif humanitaire, une obligation éthique et une analyse du droit qui nous font nous sentir profondément concernés par le bien-être des autres.

Je crois que nous avons un devoir à accomplir, et que nous agissons au nom de notre conception de la morale. Si ceci est vrai, alors je crois que Sphere est un effort mondial plein de sens, une tentative de définir les conditions de dignité des populations victimes de conflits. Notre réponse n'est donc pas seulement de négocier les besoins en assistance de ces victimes, mais elle passe par l'établissement de standards définis par les normes et l'éthique du droit international.

Le guide Sphere est vraiment un livre sur les populations victimes de conflits, et en cela il ne concerne pas seulement les ONG. Il est conçu aussi pour les Etats, les bailleurs de fonds, le système des Nations Unies et les bénéficiaires. C'est un guide qui contient des standards minimum à suivre au cœur des situations d'urgence, et ces standards sont universels. Je vous invite à ouvrir ce guide, le lire et à voir par vous-même ce que vous en pensez. Nous croyons ces standards universels. Pourtant il vous arrivera peut-être de vous trouver dans des situations où les indicateurs de Sphere seront trop spécifiques à un contexte donné, dans ces cas-là ne les utilisez pas, mais identifiez d'autres indicateurs, d'autres manières d'évaluer votre travail afin de comprendre l'impact de votre action et de soutenir le bien-être des populations que vous servez.

Si les bailleurs mènent des évaluations superficielles pour mettre en doute la valeur humanitaire ajoutée des ONG, alors c'est à nous d'identifier et de démontrer notre valeur et comment elle se reflète. Si les bailleurs interprètent délibérément mal les standards, nous ne devons pas pour autant les abandonner mais travailler à défendre leur juste interprétation.

Les ONG humanitaires ne seront pas tenues responsables de la capacité des Etats à protéger et défendre les droits des personnes sous leur juridiction.

Travailler dans un hôpital dans un pays pauvre ne confère pas l'immunité aux agences ou aux équipes vis-à-vis de toutes les accusations de comportement non professionnel ou de négligence. Nos indicateurs techniques sont seulement une partie d'un processus de démonstration du succès d'une intervention d'un point de vue humanitaire. Ils peuvent en fait contribuer à une évaluation utile des programmes. (…)

Y a-t-il véritablement un intérêt d'adopter des codes de conduite communs aux ONG ? (Manuel Lopez responsable du recrutement de Médecins Sans Frontières - Espagne)

Comme vous le savez probablement, MSF est très réticent à ratifier ou à adhérer à quelque code de conduite que ce soit. Ce n'est pas que cela aille contre les principes ou les valeurs de base de MSF, mais pour beaucoup d'autres raisons. Je vais donc tout d'abord expliquer pourquoi nous n'aimons pas beaucoup signer ou adhérer à des codes généraux de conduite ou aux codes de conduite avec lesquels tout le monde se dit être d'accord.

Raison numéro 1

S'il nous paraît difficile d'accepter ce type de compromis ou d'engagement à un code général de conduite, c'est que nous pensons réellement que les principes de base ou les principes les plus importants doivent avant tout concerner le résultat du projet et des interventions que nous réalisons sur le terrain, toutes les fois qu'il y a un besoin d'action humanitaire. Peu importe donc l'étendue d'une éventuelle adhésion à un code de conduite qui aurait une influence sur notre comportement, (particulièrement sur le terrain, représenter ou non les ONG) cela ne fera ni différence, ni bien si les projets eux-mêmes ne prennent pas aussi ces principes en compte. C'est finalement le résultat du projet que nous devons seulement viser quand nous parlons du code de conduite.

Et il n'est pas certain qu'aucun de ces codes de conduite que nous avons lus, discutés, analysés au cours de ces dernières années, garantisse que n'importe quelle prétendue agence humanitaire, Etat, ou Armée soient prêts à arrêter de bombarder des civils simplement parce que leurs membres agiraient selon un code de conduite. Il est donc très difficile de ratifier un code de conduite qui va être aussi défendu par des organismes humanitaires qui eux-mêmes défendent l'intérêt d'Etats ou d'organismes inter-Etats.

Raison numéro 2

Il y a également comme une contradiction, un paradoxe, entre certains concepts des codes de conduite comme l'impartialité ou la neutralité et, par exemple, la participation du personnel local ou des autorités locales avec lesquels nous devons bien travailler sur le terrain. Puisque bien entendu, nous collaborons, nous participons, nous utilisons les ressources du pays où nous travaillons et cela quotidiennement… Tout cela est bien beau, mais en fin de compte, le problème est que dans la plupart des cas, l'aide humanitaire est manipulée tout comme l'est la distribution des secours. Nous devons donc être indépendants et libres de décider, comme le dit la charte de MSF, où et à qui nous allons apporter notre aide, sans interférence de quelque organisation inter-étatique, d'Etats ou encore d'une autorité locale que ce soit. C'est donc une raison de plus pour laquelle il est très difficile de déterminer si un code de conduite est bon ou non en termes d'éthique.

Raison numéro 3

Bon ou non en termes de quoi ? De résultats ? De principes ? De pratiques opérationnelles ? De philosophies ? Un des autres problèmes avec les codes de conduite que nous rencontrons à l'heure actuelle est que la plupart d'entre eux se concentrent sur l'assistance, ou les opérations associées à l'assistance et non sur la protection, choses qui pour nous sont pourtant étroitement liées. Il est très important encore que nous considérions également le long terme et les conséquences de nos actions sur le terrain.

Raison numéro 4

La protection est bien entendu garantie par les conventions de Genève, et je ne connais pas meilleur code de conduite que ces conventions ! Mais je soulignerais qu'il pourrait y avoir simplement un engagement de chaque ONG, de chaque agence humanitaire d'adhérer à ces principes, et que nous n'avons pas nécessairement besoin pour ce faire d'un code de conduite complémentaire. Ce à quoi nous devrions peut-être procéder c'est à une analyse, à une discussion approfondie sur ce que les codes dont nous disposons actuellement dans le domaine du droit international signifient exactement en termes d'intervention des ONG, des Etats, des armées et des agences humanitaires.

Raison numéro 5

Je dirais également, en résumé, que notre principale difficulté à accepter les codes de conduite réside en ce qu'aucune distinction n'est généralement effectuée :

• entre les ONG ou des organisations comme le CICR parfaitement indépendantes et celles qui ne le sont pas ;

• et entre celles qui visent à faire un travail humanitaire et celles qui ont pour but de réaliser une activité à orientation politique.

Raison numéro 6

La dernière chose très importante est que l'essentiel pour nous n'est pas d'avoir un code général de conduite commun avec de beaux mots et ratifié par toutes les ONG, mais de mesurer le degré d'engagement réel et profond de la part de ces ONG aux principes même dudit code. Je veux dire que cela ne sert à rien qu'une ONG, sans code de conduite propre, signe un code général de conduite global à toutes les ONG ! Et je dirais qu'un engagement de cette nature devrait commencer par une analyse, une discussion, un débat au sein de chacune des organisations sur la signature ou non d'un code de conduite. Il nous semble donc nécessaire de faire la différence entre celles qui sont dans cette phase de discussion ou de débat, et celles qui vont sur le terrain pour donner n'importe quel type d'aide ou d'assistance sans au préalable une analyse, une évaluation, une préparation de leurs expatriés ou un examen de la situation plus poussé. Pour la plupart d'entre nous ici, il est probablement très facile d'être d'accord avec les principes évoqués dans les codes de conduite, mais ce nest pas ici, dans cette salle que se trouve le vrai problème. Il est avec toutes ces ONG, tous ces expatriés, toutes ces agences humanitaires ou prétendues telles qui ne prennent pas en compte l'éthique ou les principes, avant d'aller sur le terrain.

De l'aide humanitaire au développement : les défis à relever

OCDE. – Les conflits, la paix et la coopération pour le développement à l'aube du XXIe siècle, *Paris, OCDE, 1998, pp. 50-56 (extraits).*

L'aide extérieure dans les situations de conflit

Dans les situations d'urgence complexes, l'aide extérieure injecte des ressources substantielles dans un contexte de grande pénurie, où la maîtrise des ressources est un objectif important pour les parties en conflit. Si l'on considère souvent que l'aide est un levier puissant pour la consolidation de la paix et la réconciliation, elle peut aussi avoir l'effet contraire et aggraver les rivalités en faisant monter les enjeux de la lutte pour le pouvoir politique. Dans des situations de conflit ouvert, le droit à l'aide humanitaire doit être maintenu. En même temps, les donneurs doivent être conscients de ce que même si l'aide se veut équitable, elle est souvent perçue comme étant destinée, bien au contraire, à favoriser l'une des parties en conflit. Ainsi, l'aide extérieure peut contribuer à nourrir les tensions, soit indirectement, soit suite à des manipulations délibérées de la part de partenaires locaux participant à sa distribution.

Bien qu'en matière humanitaire, le principe d'impartialité ne soit pas contesté, il est parfois très difficile de le traduire en termes opérationnels dans des situations de conflit. Dans les situations marquées par la violation systématique des droits de l'homme, la purification ethnique, le génocide et autres crimes de guerre, l'absence de parti pris vis-à-vis des parties en conflit, dans le cadre de critères humanitaires clairement formulés et respectés, peut s'avérer un meilleur guide, bien qu'il soit également difficile à mettre en pratique. Le respect de ce principe suppose que l'aide extérieure soit distribuée de sorte qu'aucune des parties en conflit ne puisse en tirer un avantage politique ou militaire. Cela implique donc que l'aide extérieure soit perçue par les belligérants comme étant distribuée de façon équitable.

Etant donné le contexte politique dans lequel s'insère inévitablement l'aide humanitaire, l'expérience montre que les organismes d'aide doivent éviter en particulier les situations suivantes :

- Les parties en guerre peuvent essayer de monopoliser l'accès aux ressources de l'aide humanitaire, en particulier alimentaire, pour en tirer une force politique supplémentaire. Elles peuvent aussi en tirer profit indirectement en vendant des fournitures humanitaires volées.

- L'aide humanitaire peut contribuer indirectement à prolonger le conflit en permettant aux belligérants, aussi bien gouvernement en place que mouvements d'opposition, de se dérober à l'obligation de répondre aux besoins urgents des populations civiles et de rechercher des solutions politiques au conflit.

- Les programmes qui aboutissent à mieux traiter les réfugiés rapatriés que les personnes déplacées à l'intérieur de leur propre pays et les autres groupes touchés par le conflit peuvent susciter des tensions entre ces différents groupes.

Lorsque l'hostilité est de longue date, il faut souvent négocier avec les parties en conflit pour obtenir la sécurité de passage des secours humanitaires. Cela peut être l'occasion de convaincre les antagonistes de l'équité des interventions d'aide extérieure et en fin de compte mettre les donneurs en meilleure situation pour contribuer à la solution du conflit. Inversement, la pratique qui consiste à offrir de l'argent aux belligérants pour s'assurer l'accès aux populations qui attendent des secours peut contribuer directement à donner autorité et légitimité à ceux qui ont recours à la violence. La pratique de négocier l'accès des secours humanitaires peut aussi conduire à la diversion d'une grande partie de l'aide et à la détourner des populations les plus nécessiteuses.

Il importe par ailleurs de ne pas créer chez les bénéficiaires de l'aide une situation de dépendance. Les objectifs à court terme et à long terme des opérations de secours peuvent être contradictoires, ce qui est efficace pour sauver des vies peut dans certains cas rendre plus difficiles les solutions à plus long terme. Trois exemples suffisent à le montrer :

- Une politique de distribution gratuite de semences et d'outils agricoles aux paysans après une période de conflit violent peut contribuer à atténuer les pénuries alimentaires au cours des premières campagnes agricoles postérieures à la crise. Elle peut cependant également contribuer à créer une dépendance des agriculteurs si elle est continuée au-delà de cette période, de sorte que lesdits agriculteurs se mettent à considérer ces distributions gratuites comme allant de soi, réduisant d'autant leur épargne et leurs investissements. Qui plus est, la distribution gratuite d'intrants agricoles aux paysans qui cultivent des terres occupées sans titre peut contribuer à légitimer cette situation de fait, semant les germes de conflits futurs lorsque les véritables propriétaires reviendront réclamer leur bien. Les considérations à court terme, telles la nécessité urgente de relancer la production agricole et la charge administrative qu'imposerait le recouvrement du coût des intrants auprès des bénéficiaires, peuvent par conséquent aller à l'encontre des objectifs à long terme, qui sont de promouvoir la prise en charge des individus par eux-mêmes et la réconciliation.

- Si les regroupements de population peuvent, du point de vue logistique, faciliter l'acheminement des secours, ils peuvent aussi favoriser la dépendance en éloignant ces populations de leurs moyens d'existence habituels et contribuer à affaiblir la cohésion sociale.

- L'aide humanitaire d'urgence peut avoir pour effet d'affaiblir sensiblement les structures administratives locales qui sont souvent court-circuitées par des ONG mieux équipées pour assurer ce service. La réduction de la vulnérabilité et l'amélioration de la capacité de répondre à l'urgence dans l'avenir impliquent l'établissement progressif d'institutions locales compétentes. Si un large recours à des équipes de spécialistes, expatriés, peut être inévitable au départ, il est impératif de se fixer pour objectif prioritaire de passer rapidement le relais aux institutions locales.

Pour éviter de tomber dans ces pièges, une compréhension parfaite de la dynamique locale, nationale et internationale du conflit est indispensable. Il faut en outre exercer un suivi étroit de l'aide extérieure, afin de détecter toute répercussion négative et de mettre les forces politiques au service de la paix et d'une réconciliation durable. Cela implique notamment d'examiner les avantages que certains groupes tirent du conflit et de sa pérennisation sur le plan du statut, des gains matériels, des conditions d'existence, du soutien politique, de l'identité individuelle et collective et de déterminer quels sont les obstacles politiques qui se dressent sur le chemin de la paix. (...)

Lier secours et développement

Pour les besoins de l'analyse, on a souvent décrit le passage d'une situation d'urgence à la phase de développement à long terme comme un continuum. Or, ce n'est pas ce qui se passe dans la réalité où les choses ne suivent pas un schéma, une chronologie ou un ordre établis. En temps de crise, les secours d'urgence, les activités de reconstruction et l'aide au développement coexistent avec d'innombrables interactions. Le problème est de surpasser les distinctions fonctionnelles entre les divers organismes et de ne pas se borner à coordonner les objectifs de secours d'urgence, de reconstruction et de développement, mais de les intégrer dans une stratégie à long terme.

Les périodes de crise prolongées sont l'occasion de réaliser des investissements visant à accroître la capacité de faire face aux crises, surtout parmi les groupes les plus vulnérables. Ainsi, la constitution de stocks de semences et alimentaires d'urgence au niveau des collectivités de base, peut contribuer directement à limiter les risques de déplacement massif de populations lors des catastrophes, et à réduire ainsi l'impact des urgences humanitaires et les besoins en secours. Dans la pratique, cependant, si chacun reconnaît l'importance de la préparation aux catastrophes dans les stratégies de développement durable, les affectations de ressources ne suivent pas et ne représentent généralement qu'une petite fraction des crédits consacrés aux interventions humanitaires.

Il est souvent possible de concilier les besoins à court et à long terme et de faire simultanément face aux besoins dans le domaine des secours, d'une meilleure préparation aux catastrophes, et du développement. Un projet type « vivres contre travail » visant à reconstruire les infrastructures collectives peut ainsi permettre :

- de dispenser des secours par la distribution de rations alimentaires (urgence) ;

- de fournir des possibilités d'emploi et des compétences professionnelles valables, notamment aux soldats récemment démobilisés (reconstruction) ;

- de reconstruire une école détruite (reconstruction) ;

- de contribuer à créer les capacités nationales requises pour administrer des projets similaires dans les situations d'urgence futures (préparation),

- d'aider à faire en sorte que l'enseignement primaire ne soit pas interrompu outre mesure (développement).

L'aide d'urgence peut aussi faire appel aux institutions et aux marchés locaux pour assurer la fourniture des secours. Les réseaux d'entreprises continuent souvent de fonctionner malgré les troubles de l'ordre public et ils peuvent être mis à profit pour la distribution des produits de première nécessité en zone rurale et l'acheminement des productions excédentaires depuis l'exploitation jusqu'au marché. Lorsque les réseaux commerciaux ruraux ont totalement disparu, leur reconstitution pose un problème majeur, surtout si les secours prennent essentiellement la forme de distributions gratuites de vivres et d'autres biens.

Un moyen particulièrement constructif d'assurer la liaison entre l'aide humanitaire et les interventions axées sur le développement consiste à faire un inventaire systématique des équipements collectifs et des moyens de production des districts et des régions touchés par la crise. Une base de données détaillées, enregistrant les résultats des efforts de reconstruction déployés au niveau du district par les organismes publics d'aide, les ONG, et les entreprises privées peut être très utile. Il apporte une pleine connaissance de la situation et permet de détecter des signes avant-coureurs d'un risque de retour à une situation de crise qui mettent en évidence la nécessité d'une action préventive et peut aider à l'évaluation de l'impact de l'assistance fournie. Si les résultats en sont partagés avec les donneurs, un tel inventaire peut constituer un instrument précieux pour la collecte de fonds et pour la coordination opérationnelle.

Un humanitaire en voie de restructuration

L'humanitaire d'Etat : civil ou militaire ?

Haut Conseil de la Coopération Internationale (HCCI). – Avis remis au Premier ministre : « Crises, coopération et développement », Paris, 23 novembre 2000, pp. 21-35 (extraits).

La nécessité de clarifier les concepts : humanitaire, protection civile, intervention des Etats

La conjonction des termes « humanitaire » et « Etat » soulève un vif débat en France, surtout quand il se double de prises de position sur le droit/devoir d'ingérence. Les termes « d'humanitaire civil d'Etat », « d'action civile de l'Etat à caractère humanitaire », ou « d'humanitaire d'Etat », créent une certaine confusion entre les concepts d'urgence et d'humanitaire. Les ONG regrettent l'abus de langage du terme « humanitaire » qui suppose, à leurs yeux, neutralité, indépendance et impartialité. Critères que ne remplit pas un Etat éventuellement engagé dans une crise aux côtés d'un des acteurs du conflit.

Le débat n'est pas tant de rétablir un droit généalogique de l'action humanitaire au profit des ONG, que de s'entendre sur le contenu et les limites d'un concept et d'une éthique de l'intervention spécifiquement humanitaire. Il conviendrait sans doute de recourir à un autre terme « qu'humanitaire » d'Etat, en évitant ainsi de définir une doctrine d'Etat par un concept qui émane de la société civile. Le vocable de « protection ou sécurité civile internationale » correspondrait probablement davantage à la fois aux rôles traditionnels de l'Etat et à la tendance à voir en lui, de manière croissante, le recours face aux risques de toutes natures. La culture et l'expérience françaises en matière de prévention et de gestion des crises sont ici à rappeler. Le fait qu'un nombre croissant des relations internationales soient placées par la France dans une perspective humanitaire ne saurait, non plus, servir d'alibi à l'abandon de son rôle éminemment politique en faveur du rétablissement de la paix et à l'inaction en matière de prévention.

Pour certains la notion de droit d'accès aux victimes, et celle d'impartialité qu'elle implique, doit cependant être distinguée d'une définition élargie de la « sécurité civile » en ce que cette dernière comprendrait non seulement l'accès mais également la défense des victimes. Par l'identification des agressés et des agresseurs qu'elle suppose, cette défense des victimes contredirait la règle de neutralité propre au domaine humanitaire. Les actions entreprises dans l'optique d'une « sécurité civile internationale » ne manqueraient cependant pas de se heurter au dilemme fréquent qui s'impose à l'action humanitaire lorsque le non-alignement sur une des parties au conflit est une condition matérielle de l'accès aux victimes. De nombreuses organisations, tant non gouvernementales que multilatérales, en sont venues à considérer que la dénonciation des atteintes aux droits humanitaires et aux droits de l'homme ne constitue pas une rupture de l'impartialité. La constitution éventuelle d'un « corps public de sécurité civile internationale » ne pourra éviter de répondre au préalable à ce type d'interrogations, d'autant plus que le statut étatique de celui-ci lui permettra moins qu'aux ONG de concilier un égal accès aux parties en guerre et la dénonciation des actes de l'une de celles-ci. (...)

L'émergence d'actions civilo-militaires de l'Etat

Avec la multiplication des crises régionales, la France, soucieuse de contribuer à la stabilité internationale, s'est trouvée confrontée à la nécessité d'enrichir sa stratégie d'action, longtemps limitée par la prépondérance de la doctrine de la dissuasion. Cette évolution s'est traduite par des interventions de moins en moins exclusivement militaires, ce qui en retour soulève l'impérieuse nécessité d'une définition claire des relais civils. L'aspect « civil » est jugé comme l'une des conditions de la réussite des opérations et de l'accomplissement des objectifs initiaux d'intervention fixés aux armées. Ces interventions « civilo-militaires » d'assistance directe, mais aussi de sensibilisation auprès, au milieu et au bénéfice des populations civiles, se multiplient.

C'est dans ce contexte que le ministère de la Défense a entamé, dans les années 1990, une réforme de son dispositif en créant, entre autres, au niveau central, un véritable pôle stratégique interarmées, capable à la fois d'anticiper les crises et de conduire des opérations sur le plan militaire et civilo-militaire. La réforme organisationnelle visait à mettre à disposition du chef d'Etat-Major des Armées (CEMA), conseiller militaire du gouvernement, un dispositif rénové de veille, d'alerte, d'analyse et de réponse aux crises, qui prenne aussi en compte la part croissante du multilatéral dans les interventions françaises, tant au niveau des forces déployées (OTAN et dans l'avenir, forces européennes), qu'au niveau du cadre d'intervention internationalisé (opérations de maintien de la paix sous mandat onusien notamment).

La notion de prévention des crises, conçue à la fois comme une fonction stratégique et un état d'esprit était le noyau de la doctrine définie par cette réforme. Ne se cantonnant pas au secteur militaire, elle offrait au ministère de la Défense la possibilité de disposer d'une approche globale dans les domaines politique, diplomatique, économique, social, culturel, sécuritaire et militaire. Dans ce cadre, les Actions civilo-militaires (ACM) ont été réorientées pour répondre au nombre toujours croissant d'interventions de l'armée française dans des contextes multilatéraux et civils. Elles ont été conçues pour intégrer et gérer des problématiques civiles rencontrées par les forces armées.

Imaginées en 1995, mises en œuvre en juillet 1997 suite à une directive d'organisation du CEMA, elles s'inspirent du dispositif américain. Plus récemment encore, la directive ministérielle du 22 mai 2000 en précise l'adaptation aux contextes africains. Trois types d'actions civilo-militaires sont à distinguer : les ACM au profit des forces armées, « outil » avant tout militaire, les ACM au profit de l'environnement civil, qui contribuent directement au soutien de l'environnement civil et à la stabilité régionale dans le cadre d'opérations sous mandat multilatéral ; et enfin les ACM dans le cadre d'opérations humanitaires.

La directive d'état major de 1997 proposait pour les ACM une organisation interministérielle assurant quatre fonctions principales de :

a) conseil et d'orientation de l'action des forces engagées dans le cadre d'opérations civilo-militaires, en fonction des objectifs politiques, économiques et culturels de reconstruction des pays concernés ;

b) de centralisation des informations civiles pluri-sectorielles recueillies sur le terrain par le réseau des « capteurs militaires » ;

c) de la mise à disposition des acteurs civils concernés, notamment les ONG, de ressources d'origine militaire ;

d) de facilitation de l'accès aux ressources civiles des pays concernés par les acteurs civils intéressés grâce à la mobilisation de moyens militaires adéquats, par exemple de déminage, de transport, de logistique ou de génie.

Dans la pratique, différents domaines d'interrelations sont envisageables entre les armées et le secteur civil. Ils vont de l'échange d'analyses, d'informations et conseils sur le contexte sécuritaire d'intervention, de suivi de l'évolution de la situation humanitaire, au soutien logistique afin de prévenir une aggravation de la situation ou de renforcer, par exemple, un travail coordonné de régulation des mouvements et d'assistance aux populations civiles en zones sensibles.

La maîtrise du problème humanitaire, parce qu'elle concourt au rétablissement de la paix, est considérée comme un objectif prioritaire pour les armées. Les ACM doivent permettre aux organisations sur place d'être efficaces dans leurs missions et aux forces armées de maîtriser leur propre action civile.

Des organisations internationales en quête d'identité

L'exemple du HCR

Haut Commissariat des Nations Unies pour les réfugiés (HCR). – Les réfugiés dans le monde 2000, op. cit., *pp. 285-286 (extrait).*

Pour faire face aux défis contemporains qui concernent les réfugiés et autres personnes déplacées, le HCR forme de nouveaux partenariats stratégiques avec des organisations de défense des droits de l'homme, des forces armées, des acteurs du secteur privé et toute une gamme d'autres opérateurs. Il participe à une pléthore d'activités qui auraient été considérées, il n'y a pas si longtemps, comme ne relevant pas de son mandat : la protection de l'environnement, le déminage, les projets de développement communautaire, les campagnes antiracistes – pour n'en citer que quelques-unes. Le dénominateur commun à toutes ces activités est qu'elles tendent à consolider l'œuvre du HCR auprès des réfugiés et autres déplacés pour que les solutions trouvées soient vraiment durables. Mais il reste beaucoup à faire pour améliorer l'efficacité de tous ces partenariats, ainsi que les méthodes de coordination.

Depuis longtemps, le HCR déplore le hiatus entre secours d'urgence et aide au développement à long terme. Or la pauvreté, surtout là où règnent de grandes disparités dans les conditions de vie, forme un terrain propice aux conflits et aux déplacements. Les réfugiés et les personnes déplacées internes qui rentrent après un conflit souffrent beaucoup du manque de moyens pour reconstituer leurs modes de subsistance. Cela peut, à son tour, donc raviver des hostilités et provoquer de nouveaux déplacements. Le HCR s'est rapproché de la Banque mondiale, des principaux gouvernements donateurs et d'autres agences de l'ONU pour tenter de combler le vide institutionnel et financier qui existe entre les secours d'urgence et les mesures de développement à long terme.

Mais la reconstruction physique et économique n'est pas le seul préalable pour combler ce vide. La communauté internationale doit faire des efforts plus systématiques et substantiels pour renforcer les institutions démocratiques et veiller à la bonne gestion des pays qui vivent la transition entre la guerre et la paix. Il est déterminant d'aider les Etats affaiblis à consolider promptement leurs institutions, qui constituent un élément vital pour la protection des rapatriés et pour l'établissement d'une paix durable. A ce titre, le renforcement des moyens des forces de police et de l'appareil judiciaire pour faire respecter la loi est, la plupart du temps, la priorité.

Le HCR, de plus en plus, se joint aux efforts de rétablissement de la paix dans des pays touchés par la guerre ou par la violence intercommunautaire. A ses débuts, les activités du HCR cessaient dès lors que les réfugiés étaient réinstallés dans leur nouveau pays ou quand ils étaient rapatriés. En revanche, depuis quelques années, l'organisation se retrouve profondément associée à des négociations de paix comme celles qui ont abouti aux accords de paix de Paris sur le Cambodge en 1991 (qui reconnaissent que le rapatriement représente l'un des aspects essentiels de la résolution du conflit), comme la Conférence internationale sur l'ex-Yougoslavie pendant la crise dans ce pays ou encore comme les accords de paix de Dayton en 1995 (en qualité de conseiller en matière de rapatriement). Ainsi que le fait observer le Haut Commissaire Sadako Ogata : « Les accords de paix ne sont pas l'aboutissement d'un processus de paix : dans le meilleur des cas, ils en sont le point de départ ».

Un autre élément fondamental pour la sécurité humaine est de réussir à faire coexister des populations après qu'elles se soient entre-déchirées et à reconstituer une communauté. C'est un des problèmes les plus critiques pour les réfugiés et déplacés internes qui rentrent « chez eux ». Peu d'objectifs sont aussi difficiles à atteindre. Encourager et aider les communautés divisées à vivre ensemble et à trouver la voie de la réconciliation est peut-être un des principaux défis des organisations humanitaires pour le XXIe siècle.

Le droit international humanitaire : les principes et les outils

Sommaruga (Cornélio)*. – *« Le droit international humanitaire au seuil du troisième millénaire : bilan et perspectives ».* Revue Internationale de la Croix Rouge, *Genève, vol. 81, n° 836, 1999, pp. 909-923 (extraits).*

Si maintenant, nous nous tournons vers l'avenir au seuil du prochain millénaire, force est de reconnaître que nous ne voyons pas encore émerger un nouvel ordre international susceptible de remplacer l'ordre de Yalta, qui s'est effondré avec la chute du mur de Berlin.

Le monde est entré il y a dix ans dans une période de transition et d'instabilité, génératrice de nouveaux conflits qui échappent aux schémas auxquels nous étions habitués et qui sont caractérisés par leur imprévisibilité.

Malheureusement, tout donne à penser que ces conflits provoqueront à l'avenir un nombre croissant de victimes, ne serait-ce qu'en raison de la croissance démographique, de la vulnérabilité toujours plus grande des populations, conséquence du développement de l'urbanisation et de la dégradation de l'environnement naturel, et surtout en raison de la prolifération des armes de toute nature.

Selon toutes les analyses, les conflits internes seront beaucoup plus nombreux que les conflits entre Etats. Conséquence de la disparition de la bipolarité, dans l'ordre interne des Etats comme sur le plan international, ces nouveaux conflits verront sans doute se multiplier les acteurs de la violence, conduisant dans certains cas à l'effondrement de toute structure étatique et à la résurgence de phénomènes que l'on croyait révolus, chaque chef de guerre se taillant son propre fief sur lequel il règne en maître.

On céderait à une grave illusion en imaginant qu'on peut s'attendre à un avenir plus facile que les années que nous avons connues.

Toutefois, quelles que soient les perspectives, nous ne devons pas nous laisser gagner par le pessimisme. Les difficultés que l'avenir semble nous réserver ne doivent pas nous conduire à la passivité ni à la résignation. Au contraire, il faut agir.

Et c'est pourquoi le Mouvement international de la Croix-Rouge et du Croissant-Rouge propose un plan d'action qui est notamment destiné à renforcer le respect du droit humanitaire et, partant, la protection des victimes de la guerre. Ce plan d'action se fonde sur la conviction – fruit de l'expérience du CICR sur le théâtre des conflits – que si l'on veut faire œuvre utile, il faut s'efforcer de prévenir le déchaînement de la violence, plutôt que de réagir lorsqu'on est confronté au déferlement d'une violence sans frein.

La première mesure est évidemment d'assurer l'universalité des traités de droit international humanitaire, notamment des Conventions de Genève et de leurs Protocoles additionnels, de la Convention d'Ottawa sur l'interdiction des mines antipersonnel, de la Convention de La Haye sur la protection des biens culturels et du Statut de la Cour pénale internationale.

* Ancien président du Comité international de la Croix Rouge.

En effet, l'universalité de ces traités sera une garantie supplémentaire de leur respect. Les combattants constateront qu'ils reflètent la volonté de la communauté internationale tout entière, et les belligérants se référeront au même ensemble de règles de part et d'autre du front.

Dans cet ordre d'idées, il convient d'en appeler aux Etats qui ont formulé des réserves en adhérant aux Conventions de Genève ou aux Protocoles additionnels à ces Conventions pour qu'ils acceptent d'en réexaminer la pertinence à la lumière des circonstances d'aujourd'hui. Toute réserve à un traité multilatéral en sape la force obligatoire et l'universalité, puisqu'elle fait coexister deux règles divergentes portant sur le même objet. Or, beaucoup des réserves aux Conventions de Genève datent de la guerre froide et en portent la marque. Un examen sans passion permettrait sans doute de les évoquer.

Pour que le droit humanitaire soit pleinement respecté, les Etats sont tenus de mettre leur législation nationale en accord avec leurs obligations internationales. Ils doivent en particulier insérer dans leurs codes pénaux militaires et civils des dispositions permettant d'en réprimer les violations. Ainsi, ceux qui seraient tentés de violer les dispositions du droit international humanitaire sauront qu'ils violent aussi le droit interne de leur Etat et qu'ils s'exposent de ce fait au châtiment.

Mais pour que le droit humanitaire soit respecté, encore faut-il qu'il soit suffisamment connu de ceux qui doivent s'y conformer et, notamment, de tous les membres des forces armées. Les Etats parties aux Conventions de Genève se sont engagés à en intégrer l'enseignement dans leurs programmes de formation militaire et à en faire connaître les principes à la population civile. Malheureusement, rares sont les Etats qui s'acquittent de cette obligation avec le sérieux qu'elle mérite. Rares sont ceux qui ont pris des dispositions pratiques dans ce domaine. Or, il est évident que cet enseignement doit être donné en temps de paix, qu'il doit être intégré aux programmes de formation militaire, car il fait partie de cette formation, au même titre que le maniement des armes et des appareils. En outre, le droit des conflits armés doit devenir partie intégrante de la doctrine d'engagement des forces armées. Respecter le droit humanitaire, c'est aussi – c'est avant tout – une question de commandement et de discipline militaires.

Enfin, il appartient aux autorités politiques et aux autorités militaires de prévenir et de réprimer les violations du droit humanitaire. Prévenir, par des instructions nettes données aux officiers et aux troupes, et par le maintien d'une discipline sans compromis. Prévenir par l'exemple d'un discours sans concession. Mais aussi savoir user de fermeté dans la répression des violations qui ont été commises. Peu importe si ces violations ont été commises sur la personne d'un ennemi. Un meurtre est un meurtre, quelle qu'en soit la victime, et le meurtre d'un être sans défense est particulièrement odieux. Fermer les yeux sur de tels crimes, c'est laisser la gangrène se développer et l'indiscipline atteindre tous les aspects de la vie militaire.

Cette répression, c'est en premier lieu aux Etats qu'il appartient de l'organiser et, de ce point de vue, je me dois de rappeler que chacun des Etats parties aux Conventions de Genève est tenu de poursuivre et de sanctionner toute personne qui s'est rendue responsable d'infractions graves à ces Conventions, quels que soient sa nationalité et l'endroit où ces infractions ont été commises.

La communauté internationale s'est récemment dotée des moyens d'assurer cette répression sur le plan international également, par le biais de la création des Tribunaux pénaux internationaux pour l'ex-Yougoslavie et pour le Rwanda. Mais c'est surtout l'adoption du Statut de la Cour pénale internationale à Rome, le 17 juillet 1998, qui marque une étape décisive dans ce domaine. Nul doute que ces dispositions contribueront de façon exemplaire à renforcer le respect du droit humanitaire, dès lors que tous ceux qui pourraient avoir la tentation d'en violer les règles sauront qu'ils peuvent avoir à répondre de leurs forfaits.

« La justice sans la force est impuissante : la force sans la justice est tyrannique » écrivait Blaise Pascal. Notre époque parviendra-t-elle à réconcilier enfin ces deux exigences, qui se sont trop longtemps tourné le dos ?

Le CICR a salué sans hésiter la création des Tribunaux internationaux pour l'ex-Yougoslavie et le Rwanda, et plus encore l'adoption du Statut de la Cour pénale internationale : il s'est réjoui d'avoir pu contribuer à l'aboutissement des travaux qui ont conduit à l'adoption de ce Statut, même si le CICR, en raison de la nature particulière de son mandat, ne peut accepter que ses délégués soient appelés à témoigner devant un tribunal international. Cette seule perspective ruinerait les relations de confiance que le CICR se doit d'établir avec toutes les parties au conflit, avec tous les interlocuteurs, pour pouvoir apporter protection et assistance aux victimes de la guerre, conformément au mandat qu'il a reçu de la communauté internationale.

Enfin, il faut garder à l'esprit qu'en adhérant aux Conventions de Genève, les Etats se sont engagés non seulement à respecter ces Conventions, mais aussi à les faire respecter en toutes circonstances. Ainsi, chacun des membres de la communauté internationale s'est engagé à veiller à ce que ces traités soient universellement respectés, et à user à cet effet des moyens de pression qui sont les siens : pressions diplomatiques, pressions dans le cadre des organisations internationales, pressions économiques aussi, pour autant que les dispositions prévoyant des dérogations en faveur des populations les plus vulnérables soient respectées.

Cette obligation peut-elle aller jusqu'à autoriser l'usage de la force ? Le droit international humanitaire ne le prévoit pas, mais il ne l'exclut pas non plus. En vérité, c'est à la lumière des dispositions de la Charte des Nations Unies que cette question doit être résolue.

Ce que les victimes et les organisations humanitaires attendent des gouvernements, ce n'est pas qu'ils se substituent aux organismes humanitaires en mettant sur pied leurs propres actions de secours, mais qu'ils veillent au respect des règles auxquelles ils ont souscrit. Il appartient aux Etats de faire en sorte que les traités auxquels ils ont adhéré soient universellement respectés, et c'est par ce biais qu'ils peuvent apporter une contribution – décisive – à la protection des victimes de la guerre.

Les victimes de la guerre ont mis leur confiance en nous. Sachons donner au monde un message clair en vue de restaurer le respect du droit humanitaire. La protection de la personne humaine et de ses droits fondamentaux est à ce prix. En effet, il ne peut y avoir de respect des droits de l'homme en temps de guerre si le droit humanitaire n'est pas également respecté.

Sachons replacer l'homme et le respect de sa dignité au cœur de la réflexion politique et au cœur de la décision politique, car c'est toujours l'être humain qui est la finalité de l'Etat comme de la communauté internationale.

Pour les victimes de la guerre et de la violence, les Conventions de Genève sont un espoir, une protection, une lumière dans la pénombre des combats.

Ouvrons nos cœurs à l'appel des victimes. Sachons les écouter et leur apporter l'aide dont elles ont besoin. Sachons leur apporter la protection que leur situation réclame, en nous appuyant sur les Conventions de Genève, partout où nous pouvons le faire, et en les dépassant lorsque c'est nécessaire.

Professionnalisation accrue pour des ONG de plus en plus internationales

Deberdt (Jean-Patrick)*. – Guide des métiers de l'humanitaire, *Paris, Vuibert, 2001, pp. 41 et 51-53 (extraits).*

Les métiers de l'humanitaire

On rencontre deux types de métier dans le domaine de la solidarité, ceux nés de la professionnalisation de la pratique humanitaire (logisticiens, administrateurs de la solidarité, chefs de projet…) et ceux, traditionnels, qui trouvent aisément leur place dans ce secteur, telles les professions de santé, l'agronomie ou la gestion, incontournable dans les associations comme ailleurs (on a toujours besoin d'un comptable).

Les métiers de l'humanitaire proprement dits restent circonscrits aux principales fonctions que l'on trouve sur le terrain (logistique, conduite des missions) ou, pour certaines, au siège des associations (chefs de zone, juriste international). Les fonctions strictement humanitaires sont peu nombreuses. Les métiers classiques, médecin, agronome, technicien, enseignant, gestionnaire se trouvent simplement changer d'environnement dans l'humanitaire, où l'on distingue les postes opérationnels, en mission à l'étranger pour la plupart mais également en France pour les problèmes de précarité, et les postes d'administration et de gestion de l'action humanitaire, qui se partagent entre le terrain et le siège. (…)

Rémunérations et évolution professionnelle

Le monde humanitaire n'est guère plus transparent que les entreprises en matière de rémunérations, aussi est-il difficile d'être précis sur ce que l'on peut espérer gagner dans le secteur associatif ou au sein des fondations. Quoi qu'il en soit, il faut être conscient que, dans tous les cas, l'humanitaire et l'économie sociale en général restent en deçà des rémunérations pratiquées dans d'autres secteurs de l'économie. On considère qu'une estimation raisonnable des salaires dans ces milieux s'obtient en appliquant une décote de 30 % à 50 % par rapport à ceux publiés régulièrement dans la presse pour les entreprises.

Si les postes d'encadrement élevé peuvent prétendre, dans les grandes structures, à des rémunérations relativement proches d'autres secteurs, rapportées aux conditions de travail, ce n'est pas le cas dans les postes de niveau intermédiaire ou de base. Les salaires entre 6 000 F et 8 000 F bruts mensuels sont courants pour des niveaux bac + 3 à bac + 5, qui forment nombre d'employés dans l'humanitaire. Il faut cependant pondérer l'observation en précisant qu'il s'agit de personnel souvent jeune. Beaucoup de responsables gagnent entre 12 000 F et 15 000 F bruts mensuels. Quelques postes de responsabilités dans des structures importantes franchissent la barre des 15 000 F. Dans certaines grandes associations par contre, la rémunération des principaux dirigeants est comparable à celle observée en entreprise, mais ils restent l'exception qui confirme la règle.

* Ancien secrétaire général de l'Institut de l'Humanitaire.

Les fondations d'entreprise offrent des salaires un peu plus élevés que la moyenne des associations. Toutefois, là également, les rémunérations représentent la moitié de celles des personnes travaillant dans les grands groupes fondateurs à niveau de qualification semblable. Des avantages sont parfois concédés au personnel des fondations, à l'image de ceux du groupe, mais ce n'est pas systématique et, dans certaines entreprises, seulement de façon partielle.

En ce qui concerne l'évolution professionnelle, les opportunités restent limitées et, la plupart du temps, c'est en changeant d'employeur que l'on améliore sa situation ou bien, plus souvent encore, en réalisant une reconversion dans les secteurs traditionnels de l'économie. Un des problèmes qui affectent l'évolution interne dans l'humanitaire réside dans l'absence fréquente de formation continue pour des raisons de coût, qui pénalisent les associations. Il faut considérer également que les candidats à l'humanitaire forment une population particulièrement motivée qui assume souvent elle-même ses frais de formation, ce qui dispense les employeurs d'envisager d'autres initiatives que celles liées à la préparation au départ en mission.

Les mouvements de personnel, pour les bénévoles particulièrement, y compris au siège, présentent comme on l'imagine une réelle instabilité avec laquelle les responsables de ressources humaines doivent compter. Par contre, au niveau des permanents, la stabilité prédomine en raison des limites du marché de l'emploi humanitaire, mais surtout des différences de culture et de pratique entre le monde associatif et celui des entreprises qui rendent les changements délicats à conduire.

Nous avons rassemblé dans un tableau les rémunérations des principales fonctions du siège. Les disparités de salaires peuvent être élevées d'une association à l'autre. Ceci dépend :

- du budget de l'association et de son mode financement : appel au public, niveau des subventions. Les budgets en limite de fonctionnement offrent des rémunérations faibles relativement aux postes concernés ;

- des choix de gestion retenus. Certaines associations considèrent que le travail dans l'humanitaire suppose l'acceptation de rémunérations minimales et compriment fortement le poste salaires. D'autres estiment qu'on ne peut attirer et conserver des personnels compétents et motivés sans une rémunération correcte.

POSTE (1)	Budget de 3 à 15 MF	Supérieur à 15 MF
Secrétaire général	190 000 F à 280 000 F	250 000 à 400 000 F
Responsable administratif et financier	170 000 F à 200 000 F	190 000 à 250 000 F
Responsable marketing donateurs, collecte de fonds	160 000 F à 190 000 F	180 000 à 220 000 F
Responsable communication, responsable relations internationales	150 000 F à 190 000 F	180 000 à 220 000 F
Chargé de communication	140 000 F à 170 000 F	145 000 à 190 000 F
Responsable des ressources humaines	165 000 F à 195 000 F	170 000 à 225 000 F
Chargé de recrutement	135 000 F à 150 000 F	140 000 à 165 000 F
Responsable des missions	155 000 F à 210 000 F	165 000 à 250 000 F
Chef de secteur	145 000 F à 175 000 F	160 000 à 210 000 F
Chargé de programme	125 000 F à 150 000 F	175 000 à 200 000 F
Acheteur gestionnaire magasin	155 000 F à 190 000 F	180 000 à 220 000 F
Comptabilité	120 000 F à 150 000 F	125 000 à 180 000 F
Secrétariat	93 000 F à 130 000 F	95 000 à 160 000 F
Accueil-standard-magasin-courses	SMIC à 90 000 F	SMIC à 92 000 F

(1) Fourchettes de salaires bruts annuels pour les principaux types de fonctions au siège des associations humanitaires (élaboré à partir d'une étude réalisée par l'association Europact).

Les salaires des permanents rémunérés sur le terrain pour de longues missions (supérieure à 1 an) évoluent pour l'essentiel des fonctions entre 10 000 francs et 12 000 francs nets mensuels. Les indemnités des volontaires en mission oscillent entre 4 000 F nets mensuels le plus souvent et 7 000 F nets suivant l'association, la durée de la mission, la qualification, l'expérience et le niveau de responsabilité du volontaire.

Un humanitaire multidimensionnel qui interpelle

Revendiquer un droit d'initiative

Laroche (Josépha)*. – Politique internationale, *2e édition, Paris, LGDJ, 2000, pp. 146-147 et 154 (extrait).*

Les ONG humanitaires usent d'un registre d'instruments allant de la collaboration à l'évitement, du partenariat à la mise en accusation. Ce faisant, elles participent à ce vaste mouvement de réattribution de l'autorité qui bouleverse aujourd'hui les bases de la politique mondiale. Affichant un apolitisme non gouvernemental, les ONG humanitaires tiennent un discours techniciste, volontiers érigé en credo. Au nom d'une morale humanitaire de l'urgence, elles exercent un pouvoir de censure à l'égard des Etats et s'octroient un droit d'initiative : elles recensent les abus, conduisent des missions d'enquête, dénoncent les exactions auprès des instances compétentes, suivent le traitement des dossiers, demandent des compensations pour les victimes et des sanctions proportionnées aux crimes pour les auteurs…

Ce sont elles aussi qui, constatant l'inefficacité de certains mécanismes intergouvernementaux, incitent les Etats à des innovations institutionnelles. Parfois même, par une captation exclusive de l'humanitaire, elles vont jusqu'à se substituer à eux dans l'accomplissement de certaines de leurs fonctions, comme la protection des populations. Exerçant le rôle de « découvreur » des situations d'urgence, elles remettent en question la notion de frontière et déploient, non sans activisme, un « sans-frontièrisme » qui puise sa légitimité dans la contestation de la raison d'Etat et le dépassement de notions comme celles de souveraineté territoriale ou de non-ingérence dans les affaires intérieures, principe pourtant reconnu dans la Charte des Nations Unies (art. 2 § 7). Ces dernières années, elles ont particulièrement mis l'accent sur l'impunité dont jouissent la plupart des auteurs de violations des Droits de l'Homme et demandé la constitution d'une juridiction pénale

(1) Professeur de science politique. Universités de Rouen et de Paris I.

internationale qui disposerait de moyens suffisants pour conduire des enquêtes sur des cas de violations massives. Elles ont ainsi obtenu la création en 1993 du Tribunal pénal international pour la Yougoslavie qui est chargé de juger les personnes accusées de crime de guerre et de crime contre l'humanité ou de génocide commis dans ce pays et en 1994, celle du Tribunal pénal international pour le Rwanda. De même, sont-elles largement à l'origine de la conférence diplomatique (15 juin, 17 juillet 1998) qui a réuni à Rome les représentants de 120 Etats en vue d'adopter le texte d'un traité portant création d'une Cour pénale internationale permanente.

Mais en matière d'action humanitaire, on assiste aussi à un jeu de concurrences croisées. En effet, si les Etats se trouvent interpellés par ces ONG et peuvent, le cas échéant, être déstabilisés, voire atteints dans leur légitimité, en retour, ils se posent eux aussi en concurrents sur « le marché caritatif et victimaire » (1), profitant à des fins de politique intérieure de l'investissement émotionnel de leurs citoyens en faveur de l'humanitaire. Ils empruntent alors la rhétorique et les modes d'intervention élaborés par les ONG, et peuvent utiliser, en leur propre nom, les réseaux associatifs de celles-ci afin de bénéficier des informations, de l'expérience logistique et de la connaissance du terrain qu'elles ont acquises. Cette apparition d'un « humanitaire d'Etat », qui prend parfois la forme d'une militarisation de l'ingérence humanitaire, pose la question de la crédibilité d'une telle captation, dès lors que l'intérêt des victimes, qui constituait jusque-là une des justifications les plus puissantes à l'action des ONG, devient aussi, au nom d'une morale universelle des droits de l'Homme, une source de légitimité pour les Etats. Avec cette appropriation étatique, parfois même cette instrumentalisation, l'humanitaire apparaît à présent comme une ressource de légitimation pour les Etats, ressource pouvant parfois occulter leur politique de puissance car si un droit d'ingérence humanitaire s'est progressivement substitué à un simple devoir moral d'assistance humanitaire, il n'est pas pour autant dépourvu d'ambiguïté, ni toujours bien contrôlé par les ONG (...)

Enfin, cette logique d'ingérence humanitaire s'est prolongée ensuite et institutionnalisée avec la décision du Secrétaire général des Nations Unies (10 juin 1999) d'établir une présence civile internationale au Kosovo et de créer la Mission d'administration intérimaire des Nations Unies au Kosovo (MINUK) (résolution 1244 du Conseil de Sécurité). Dans cette situation historiquement inédite, le Représentant des Nations Unies se trouve en position de président de fait dans la mesure où il dispose sur cette province – pourtant toujours partie intégrante de la République fédérale de Yougoslavie – de tous les pouvoirs civils afin d'y construire une « autonomie substantielle ».

(1) Guy Nicolas, « De l'usage des victimes dans les stratégies politiques contemporaines », *Cultures et conflits*, (8), hiver 1992-1993, pp. 129-163.

La lutte pour l'accès des populations du Sud aux médicaments essentiels et aux traitements contre le Sida

Hamel (Annick)*. – *« Chronique d'un mauvais procès ».* Messages, *journal interne de Médecins sans frontières (MSF), Paris, n° 114, avril 2001, pp. 1-2.*

Lorsque, le 5 mars 2001, s'ouvre le procès devant la Haute Cour de Justice de Prétoria, les 39 compagnies pharmaceutiques sont sûres de leur bon droit. La loi sud africaine de 1997 sur le médicament donne au ministre de la Santé de larges prérogatives pour recourir à des importations parallèles, des licences obligatoires et une substitution par les génériques.

La raison du droit...

Or cette loi, selon les compagnies pharmaceutiques, porte atteinte aux droits d'exclusivité conférés à leurs médicaments grâce aux brevets. Le droit des brevets doit donc l'emporter et la loi, dont l'application est bloquée depuis le dépôt de la plainte en 1998, doit être modifiée.

D'ailleurs, à la fin des années 1990, l'opposition au gouvernement sud africain, ainsi que le gouvernement américain et la Commission européenne, entre autres, ont pris position pour le respect du droit de propriété intellectuelle et ont exercé des pressions sur le gouvernement sud-africain afin qu'il modifie sa loi.

Des malades partie civile

Mais des organisations non gouvernementales sud-africaines, dont TAC (Treatment Action Campaign), se sont mobilisées contre cette plainte et ont attiré l'attention sur le coût humain du non-accès, pour les malades, à des médicaments vitaux : 400 000 morts de sida depuis que la loi de 1997 est bloquée par les Laboratoires. TAC réclame donc, au nom des malades, le droit d'être *amicus curiae* (« amis de la Cour ») dans le procès.

Le 5 mars, le procès s'ouvre sur l'étude de la requête de TAC, que la Haute Cour accepte. Les malades sont donc partie civile dans ce procès. C'est la nature même du procès que la Haute Cour a ainsi modifiée. La bataille ne va plus reposer sur les seuls arguments juridiques : la loi de 1997 est-elle ou non conforme aux engagements internationaux de l'Afrique du Sud sur la propriété intellectuelle ? Les données humaines vont désormais être prises en compte : le droit des brevets peut-il prévaloir sur le traitement des malades ?

TAC demande alors aux compagnies pharmaceutiques de justifier le prix de leurs médicaments. Les compagnies pharmaceutiques estiment avoir besoin de 3 mois pour préparer leur défense et leur argumentation sur le prix de leurs médicaments. Le juge leur accorde 6 semaines. Report du procès jusqu'au 18 avril.

* Coordinatrice de la campagne médicaments à MSF-France.

Le délai de 6 semaines va être mis à profit. A MSF, nous décidons :

- de demander aux laboratoires de retirer leur plainte,

- de demander aux pouvoirs publics européens de se prononcer sur une question qui interroge le politique,

- de nous appuyer sur la sensibilité des médias et de l'opinion en lançant une pétition internationale via Internet et par voie de presse.

Dans cette même période, un rendez-vous est pris à Paris avec les directeurs d'Aventis Pharma, compagnie pharmaceutique française plaignante dans le procès, qui nous expose synthétiquement la logique des grands laboratoires : le respect des brevets est une question de principe ; ils ne transigeront pas. Ils sont très déçus qu'une organisation « sérieuse comme MSF » participe, à travers la pétition qu'elle a lancée, à la « diabolisation » de l'industrie pharmaceutique.

Pour Aventis, la pression s'exerce bientôt aussi en interne. Le syndicat Sud Chimie adopte une motion demandant à son employeur de retirer sa plainte en Afrique du sud. Aventis développe par un courrier adressé à ses salariés ses positions : l'action d'Aventis dans les pays en voie de développement, la légitimité de ses positions dans le procès en Afrique du sud, la faible part du coût du médicament comme cause de son indisponibilité et la politique de santé menée par le gouvernement sud-africain… Des clubs d'investisseurs « éthiques » commencent cependant aussi à menacer d'utiliser leur droit de vote dans les Assemblées générales d'actionnaires pour interpeller les laboratoires.

Une pétition en ligne

Tout le réseau MSF est mis à contribution pour faire circuler une pétition demandant aux 39 laboratoires de retirer leur plainte. Il participera très activement pour certaines sections et certains terrains (Madagascar, Malawi, Soudan…). Rapidement, suivant les lois du marketing viral, la pétition a sa propre dynamique : forums de discussions sur Internet, signatures dans des pays où MSF n'est pas présent comme le Sénégal, où des associations nous font parvenir plus de 700 signatures. Certains reçoivent même un e-mail du bout du monde… leur demandant de signer cette pétition de Médecins Du Monde ! Au total, près de 300 000 signatures sont recueillies en cinq semaines et envoyées à chacun des laboratoires plaignants, la veille de la reprise du procès.

La mobilisation médiatique

Comme elle l'avait fait en mars, la presse relaie la reprise du procès de Prétoria et participe très activement à la mobilisation : de nombreux articles et émissions paraissent, émaillés de commentaires défavorables à l'industrie pharmaceutique, reprenant la pétition, etc. Même la presse financière dénonce la logique des laboratoires.

Côté pouvoirs publics, l'industrie pharmaceutique perd les soutiens politiques escomptés. Le gouvernement allemand ouvre la danse, assurant le gouvernement sud-africain de son soutien. D'autres suivent : Hollande, Belgique, Danemark, Parlement européen. En France, pourtant, la lettre ouverte adressée par MSF au Président, au Premier ministre, au ministre de la Santé et à celui du Commerce (NDLR : lettre publiée dans *Le Monde*) restera sans réponse.

La reprise du procès le 18 avril se fait donc dans un climat défavorable pour l'industrie pharmaceutique. La veille, devant les caméras, MSF remet à la présidente de la PMA (Pharmaceutical Manufacturer Association) les 250 000 premières signatures de la pétition.

La reprise du procès

Le 18 avril à 10 heures, le procès reprend. Mais l'audience est immédiatement suspendue. Elle doit reprendre à 14 heures. A 14 heures, nouvelle suspension jusqu'au lendemain 10 heures…

Il est alors clair que la cohésion des 39 laboratoires se fissure : cinq d'entre eux, parmi les plus importants, décident de faire cavalier seul et prennent leurs propres avocats. On apprend que ces cinq laboratoires veulent retirer leur plainte et demandent à leurs confrères d'en faire autant. Le 18 avril à 16 heures, 37 des 39 laboratoires ont déjà signalé par écrit au juge leur souhait de retirer leur plainte. On sait également que le gouvernement sud-africain n'a fait aucune concession sur la loi de 1997. Un seul point reste en discussion : qui paiera les frais de ces trois années de procédure ? Le 19 avril à 10 heures, la bonne nouvelle est confirmée. La plainte est retirée, la loi sud-africaine n'est pas modifiée et les frais de justice seront payés par l'industrie pharmaceutique.

Un mauvais procès

Le gouvernement sud-africain a gagné contre les géants de l'industrie pharmaceutique. L'argument humain l'a emporté sur l'argument juridique. La santé l'a emporté sur la propriété intellectuelle.

L'industrie pharmaceutique a reculé devant deux éléments majeurs. D'une part, la perception négative de l'opinion, de la presse et de politiques qui ont ruiné son image. D'autre part, une position « légaliste » devenue intenable dès lors que des malades allaient faire entendre leur voix devant la justice et faire valoir que cette procédure menaçait leur survie. Elle a aussi probablement reculé pour n'avoir pas à rendre de comptes sur la manière dont elle établit le prix de ses médicaments.

Pourtant cette victoire n'a, au fond, rien de bien anormal : dans sa loi, l'Afrique du Sud ne fait qu'interpréter et utiliser les clauses de sauvegarde prévue par l'accord ADPIC (Accord sur les aspects des droits de propriété intellectuelle) pour la santé publique. Il n'est donc pas extraordinaire que la protection prévue dans les accords soit mise en œuvre.

Cette victoire est surtout une excellente nouvelle pour les malades. A commencer par les malades sud-africains qui, si leur gouvernement met en pratique sa législation, pourront disposer de médicaments moins chers. Mais aussi pour tous les malades des pays aux ressources limitées si, à l'instar de l'Afrique du Sud, leurs dirigeants politiques adoptent et appliquent des législations visant à faciliter l'accès à des médicaments moins chers.

Aujourd'hui, ces pays ne devraient plus avoir à craindre de procédure judiciaire de la part des laboratoires. L'obstacle financier enfin levé, l'espoir que les malades puissent enfin être soignés renaît. Pour que les médicaments, mais aussi les soins, deviennent une réalité, encore faut-il que tous les acteurs de la Santé assument leurs responsabilités : gouvernements, bailleurs de fonds, organisations internationales mais aussi professionnels de santé…

Ne pas confondre humanitaire, politique et militaire

Bettati (Mario)*, Biberson (Philippe), Bidegain (José)***, Mamou (Jacky)****, Mauricet (Thierry)*****, Richardier (Jean-Baptiste)******, Rufin (Jean-Christophe)*******.** – *« Qu'est-ce que l'humanitaire ? ».* Le Monde, *Paris, 15 mai 1999.*

Face au drame dans les Balkans, toutes les énergies et tous les moyens sont requis. Cela ne signifie pas pour autant que les rôles de tous soient identiques ni que puissent être confondus les mandats des différents acteurs. L'action humanitaire doit être menée pacifiquement et avec humanité. Tuer ou chercher à tuer, même avec une volonté de « parcimonie », pour sauver plusieurs centaines de milliers de personnes ne saurait être qualifié d'humanitaire. Cest là, du reste, que se situe un des plus grands dilemmes de l'action humanitaire, la vraie : le risque de traiter sur le même plan les victimes et leurs bourreaux dès lors que leur survie dépend des secours. Confondre ce qui est juste et ce qui est accompli par humanité, ce serait se prendre pour Dieu. La plupart des humanitaires n'en sont pas encore là !

La guerre peut être une action courageuse et juste sur le plan de la morale, surtout lorsque ce sont les tyrans qui sont mis hors d'état de nuire ; mais cela ne peut pas s'appeler une action humanitaire. L'image « rassurante » d'un « para » tenant dans ses bras un petit réfugié, ou déchargeant des colis de médicaments d'un hélicoptère, crée la confusion. La raison d'être de cet hélicoptère est de faire la guerre. S'il est mis à disposition pour acheminer de l'aide, c'est en marge de sa fonction première pour prendre en compte, grâce aux moyens logistiques militaires, un exode qui constitue une conséquence et une phase de la guerre.

Cette distinction sémantique n'est pas péjorative : si les militaires sont comme tout un chacun accessibles à la compassion et aiment rendre service, les humanitaires ne sont pas, pour la plupart, des pacifistes inconditionnels. Peut-on pour autant confondre à ce point les acteurs et les rôles ? Confondre humanitaire, militaire et politique est extrêmement préjudiciable pour les uns comme pour les autres. Il n'est donc pas inutile de rappeler quelques principes et définitions que les signataires voudraient voir respecter.

1 - L'action humanitaire doit toujours s'efforcer d'être impartiale : elle ne peut pas faire de distinction entre les personnes à secourir dès lors que leur vie est menacée. Elle doit être mise en œuvre avec un esprit de neutralité : elle doit veiller à ne pas être un instrument d'oppression par l'avantage qu'elle donnerait à une partie. La guerre vise, au contraire, à s'assurer un rapport de forces qui donne l'avantage à son camp. Les forces de l'OTAN, pas plus que celles de Slobodan Milosevic, ne sont impartiales dans ce conflit. Cela paraît ridicule d'avoir à le rappeler, sinon pour dire qu'il n'y a pas de guerre sans propagande et que l'utilisation qu'ils font de la souffrance comme de l'humanitaire est un moyen de la guerre qu'ils mènent.

2 - Les forces militaires de l'OTAN présentes sur le théâtre balkanique mettent en œuvre des décisions politiques prises par les gouvernements de l'Alliance. Cette guerre vise à faire respecter des principes de droit et à s'opposer aux actions d'un gouvernement dont la violence constitue une menace pour la paix. Soit les armées mènent leurs actions dans une logique qui est la leur et qui peut tantôt être favorable à l'action humanitaire (quand leur présence permet d'assurer une meilleure

* Président de la Voix de l'enfant, ** Président de Médecins Sans Frontières, *** Président d'Action contre la Faim, **** Président de Médecins du Monde,***** Directeur général de Première Urgence, ****** Directeur de Handicap International, ******* ancien vice-Président de Médecins Sans Frontières.

sécurité), tantôt préjudiciable lorsque la stratégie choisie conduit à accélérer l'exode des civils kosovars. Mais la question de l'acceptation de l'usage de la force pour s'opposer à l'épuration ethnique ne peut pas conduire à attribuer un label humanitaire à des stratégies, des intérêts, un calendrier et des options décidés par l'état-major d'une alliance de sécurité militaire héritée de la Guerre froide.

Il faut admettre que l'OTAN agit en fonction de ses intérêts, qui ne correspondent pas forcément à ceux des populations du Kosovo ni à ceux du monde humanitaire. Croire le contraire serait faire preuve d'une tragique naïveté.

Différente de cette action militaire, l'action humanitaire est menée par des civils. La prise en charge des réfugiés en Albanie, en Macédoine et au Monténégro est d'abord le fait de la solidarité spontanée des populations locales qui accueillent des réfugiés et auxquelles les ONG apportent leur appui. Des concours complémentaires, en particulier logistiques, ont été apportés par les armées sans que cela mette en cause l'indépendance des ONG. Celles-ci, avec le soutien des donateurs privés, ont mis en place avec rapidité un impressionnant réseau de secours. Si des dysfonctionnements ont été observés dans l'acheminement et la coordination, c'est avant tout du fait de l'insuffisance initiale des structures de l'ONU, en particulier du HCR, qui avait été désigné pour assurer cette coordination. Ces défaillances ne permettent cependant pas de porter un jugement négatif sur ces opérations ; elles ne justifient surtout pas d'accréditer dans l'opinion qu'il faudrait désormais confier aux militaires la responsabilité des secours.

Ce n'est pas une affaire de moyens, mais de principes : l'OTAN, et les armées qui la composent ne sont pas, ne seront jamais et ne doivent pas devenir une force humanitaire.

3 - Les armées disposent de services de santé qui dispensent des soins à leurs propres troupes et peuvent au besoin, étendre leur action à des populations civiles, conformément à des ordres politiques. Les ONG ne sauraient être assimilées à ces services. Cela est clair dans un contexte national ; cela doit le rester au sein d'une intervention de l'OTAN. C'est aux ONG seules, en fonction de considérations éthiques, de décider quelles populations nécessitent leur aide. Elles ne voient aucun obstacle à travailler des deux côtés dans un conflit.

Les signataires renouvellent leur exigence de voir respecter le droit d'accès aux victimes, consacré par le droit international, à l'intérieur du Kosovo comme en Serbie et dans les autres parties de la République fédérale de Yougoslavie. Elles demandent que leur soient garanties des conditions de travail conformes aux principes d'une action impartiale : liberté d'accès des expatriés, contrôle de la finalité de l'aide et évaluation indépendante des besoins.

En habillant une guerre de motifs humanitaires, le risque est grand de justifier des violences et des souffrances pour soulager d'autres violences et d'autres souffrances. C'est exposer l'action humanitaire libre et indépendante au discrédit, à la suspicion, au danger et partant à la paralysie. Si elles renonçaient à défendre ces principes et à les appliquer sans transiger, les organisations non gouvernementales, leurs volontaires et le public qui les soutient participeraient au dévoiement de l'action caritative.

C'est à juste titre, alors, qu'elles seront suspectées d'ingérence et de partialité dans toutes les « crises » et par tous les régimes en guerre. C'est à juste titre que les secours vitaux seront entravés ou tenus à distance, conditionnés, exploités, pillés, détournés, et que les volontaires seront intimidés, violentés, pris en otage par les parties à un conflit.

Cet humanitaire indépendant qui a su faire entendre une voix distincte et autonome, qui a su s'ouvrir des espaces d'action auxquels les autres institutions n'avaient pas accès, cet humanitaire-là mérite être défendu.

Vers un humanitaire adulte et responsable

Brunel (Sylvie)*. – *« Pour un humanitaire responsable », in* Géopolitique de la faim, *Paris, PUF, 2000, pp. 303-306 (extraits).*

Fin des années quatre-vingt, l'humanitaire triomphe. Grands concerts planétaires et effondrement du mur de Berlin semblent ouvrir une voie radieuse pour l'humanité, désormais pacifiée et solidaire, donc forcément en marche vers le progrès.

Dix ans après, voici venue l'ère du désenchantement : l'humanitaire serait récupéré, instrumentalisé, plus nuisible qu'utile même, pour certains – en général ceux qui, dans le même mouvement, remettent en question la notion même de développement.

La charnière entre ces deux époques peut être précisément datée : l'intervention américaine en Somalie, en décembre 1992, qui s'achève quelques mois plus tard dans la débandade, la violence et le chaos – dont ce pays n'est toujours pas sorti aujourd'hui – semble sonner le glas des espérances humanitaires. Non, le monde ne recueille pas les dividendes de la paix. Non, l'ingérence ne met pas fin aux tragédies de certains peuples. La société mondialisée, loin de niveler les différences, creuse au contraire le fossé qui éloigne les exclus des consommateurs.

Aujourd'hui, cultiver la désespérance, voire la détestation de l'humanitaire, semble être devenu la posture favorite de ceux qui en furent précisément les hérauts : la génération qui a enfanté le sans-frontiérisme, qui l'a porté aux nues lorsque, pourtant, ses méthodes et ses choix balbutiaient encore par leur approximation et leur naïveté s'en détourne et l'abomine au moment précis où il se met à jouer un rôle essentiel dans les relations internationales. Au moment, justement, où il entre dans la maturité responsable.

Jamais, en effet, l'action humanitaire n'a eu autant de raisons d'exister. Jamais, elle n'a eu un rôle aussi important à jouer :

- Les Etats sont en crise : Jean-François Bayart souligne à quel point ils sont à la fois débordés par le haut, par la transnationalisation financière et la multinationalisation, attaqués de front par les institutions financières internationales, avec leurs logiques d'ajustement désastreuses, rongés de l'intérieur par la montée des particularismes, des revendications identitaires et de la criminalisation de l'économie.

- Les Nations Unies se voient de plus en plus désavouées car incapables, même, de jouer leur rôle de « puissance interstitielle », selon la formule de Ghassan Salamé, lorsque les vraies puissances décident le contraire, les Etats-Unis en premier chef, mais aussi la Chine. (...)

Et pourtant, quelles critiques virulentes ! Quelles impitoyables remises en cause !

C'est parce qu'il s'est appliqué à lui-même la rigueur morale et l'intransigeance qu'il employait à stigmatiser les dysfonctionnements du monde que le mouvement humanitaire se trouve aujourd'hui sur la sellette : les associations ont été les premières à dénoncer les manipulations dont elles étaient menacées, l'insuffisance de leurs résultats dans les situations les plus troublées. Résultat : elles se sont vues vili-

* Economiste et géographe. Présidente d'Action Contre la Faim (ACF).

pendées non seulement par ceux-là même qui n'attendaient que cette occasion pour les discréditer, parce que l'activisme militant contrecarrait leur volonté de conquête ou de puissance, mais pire encore, par certains militants eux-mêmes, souvent les plus idéalistes ou les plus radicaux, qui, pour avoir trop attendu de l'humanitaire, ne supportaient pas de voir leurs rêves déçus et rejetaient violemment ce qu'ils avaient adoré.

Pourtant, c'est précisément sa force d'autocritique et sa volonté de transparence qui a poussé l'humanitaire à mettre sur le tapis les problèmes qu'il rencontrait afin de pouvoir mieux les surmonter. Les associations en ont déduit la nécessité de se doter des moyens d'une efficacité et d'un contrôle accrus, par la mise au point de techniques professionnelles abouties, mais aussi de « standards » et de codes visant à leur permettre d'harmoniser leurs méthodes et leurs objectifs. C'est sur ces sujets que la plupart d'entre elles travaillent en ce moment même, justement pour pouvoir à l'avenir déjouer les pièges et cibler mieux encore leurs interventions.

Pourquoi paraître découvrir aujourd'hui quelque chose qui, en réalité, a toujours existé ? Le sans-frontiérisme, en effet, est apparu en même temps que sa manipulation : c'est au Biafra, au tout début des années soixante-dix, lorsque le général Ojukwu entretenait délibérément la famine du peuple Ibo pour rallier l'opinion publique à sa cause indépendantiste, qu'est née Médecins Sans Frontières.

Aujourd'hui, comment oser renoncer délibérément à secourir un enfant affamé lorsque l'on dispose de la capacité miraculeuse de lui éviter une mort certaine en intervenant à temps ? Comment choisir de se détourner de populations victimes d'une oppression délibérée et de souffrances insupportables, qui ne doivent rien à une quelconque fatalité, sous le prétexte que l'on risque de se faire manipuler ?

A nous, les ONG, de nous doter des parades les plus au point pour ne pas tomber dans le jeu sordide et cynique des affameurs. C'est précisément ce à quoi nous travaillons en ce moment, toutes ensemble… et c'est ce qui nous vaut tant de diatribes, tant de « je vous l'avais bien dit » émanant de grincheux confortés dans leur nouvel immobilisme.

La seule chose qui soit morte, maintenant que l'humanitaire est entré dans sa maturité responsable, ce sont les illusions de la jeunesse :

- illusion qu'il suffisait de débarquer quelque part auréolé de sa bonne volonté de secouriste pour être accueilli en bienfaiteur de l'humanité… et aussi pour être utile,

- illusion que les citoyens pouvaient à eux seuls améliorer le monde en se passant des Etats et des hommes politiques, bien évidemment « tous pourris » : au contraire, c'est par la force de l'engagement citoyen et son relais par l'action politique que le mouvement associatif peut aboutir à des réformes durables,

- illusion enfin que la civilisation occidentale avait un modèle de progrès universel à proposer au reste du monde, se transformer en propagandiste acharné de techniques considérées comme amélioratrices de la qualité de vie suffisant dès lors à diffuser du développement.

C'est vrai : l'espoir de transformer le monde par la seule force de sa bonne volonté, par sa générosité et sa « gentillesse », est mort sur les plages de Mogadiscio, un jour de décembre 1992. Et c'est tant mieux : n'est-il pas souhaitable, finalement, qu'un retour au réalisme se soit fait jour et que le seul humanitaire qui puisse persister aujourd'hui soit celui qui trouve sa fonction dans les ressorts de la société mondialisée, sans pour autant que la notion de Bien et de Mal ne soit portée en étendard pour excuser tous les à-peu-près ?

Bibliographie complémentaire

Ouvrages :

- Action contre la faim, *Géopolitique de la faim* [édition 2001], Paris, PUF, 2000.

- Balinska M.A., *Une vie pour l'humanitaire, Ludvik Rachman*, Paris, La Découverte, coll. L'Espace de l'Histoire, 1996.

- Beigbeder Y., *Le HCR*, Paris, PUF, coll. Que sais-je ?, 1999.

- Bettati M. (textes introduits et commentés par), *Droit Humanitaire*, Paris, Seuil, coll. Essais, 2000.

- Black M., *A cause for our times, Oxfam the first 50 years*, London, Oxford University Press, 1992.

- Bouchet P., Saulnier F., *Dictionnaire pratique du droit humanitaire*, 2e édition, Paris, La Découverte, 2000.

- Bouvier A. et Sassoli M., *How does law protect in war ?*, Geneva, ICRC [CICR], 2000.

- Bugnion F., *Le Comité international de la Croix-Rouge et la protection des victimes de la guerre*, 2e édition, Genève, CICR, 2000.

- Commission coopération développement, *Associations de solidarité internationale*, Répertoire 2000, Paris, COCODEV, 2000.

- Cuny F.C. & Hill R.B., *Famine Conflict and Response, A basic guide*, West Hartford, Kumarian Press, 1999.

- Destexhe A., L'*humanitaire impossible ou deux siècles d'ambiguïté*, Paris, Armand Colin, 1993.

- Domestici, Met M.J. (sous la dir. de), *Aide humanitaire internationale, un consensus conflictuel*, Paris, Economica, 1996.

- Dufourcq N. (sous la dir. de), *L'argent du coeur*, Paris, Hermann, Coll. Savoir Cultures, 1996.

- Dunant H., *Un souvenir de Solférino, nouvelle édition*, Lausanne, L'Age d'Homme (Poche suisse), 1986.

- Guide du routard, 2001/2002 (le), *Humanitaire*, Paris, Hachette, 2001.

- Harouel V., *Histoire de la Croix-Rouge*, Paris, PUF, Coll. Que sais-je ?, 1999.

- Husson B. & Pirotte C. (sous la dir.), *Entre urgence et développement, pratiques humanitaires en questions*, Paris, Karthala, 1997.

- Job R., *Lettres Sans Frontières*, Bruxelles, Complexe, 1994.

- Jost P. & Perriot F., *Le Guide des actions humanitaires*, Paris, J'ai lu, coll. Pratique, 1998.

- Mc Allister I., *Sustaining Relief with Development,* Dordrecht, Martinus Nijhoff Publishers, 1993.

- Lechervy C. & Ryfman P., *Action humanitaire et solidarité internationale : les ONG*, Paris, Hatier, coll. Optiques, 1993.

- Lorenzi M., *Le CICR, Le coeur et la raison, Entretiens avec Cornelio Sommaruga*, Lausanne, Favre, 1998.

- Mamou J., *L'humanitaire expliqué à mes enfants*, Paris, Seuil, 2001.

- Rufin J.-C., *Le Piège, Quand l'aide humanitaire remplace la guerre*, Paris, Lattès, 1986. Nouvelle éd., Paris, Hachette, coll. Pluriel, 1993.

- Rufin J.-C., *Les causes perdues*, [roman], Paris, Gallimard, 1999, nouvelle éd. (poche), sous le titre *Asmara et les causes perdues*, Paris, Gallimard, coll. Folio, 2001.

- Senarclens de P., *L'Humanitaire en catastrophe*, Paris, Presses de Sciences Po., coll. La Bibliothèque du citoyen, 1999,

- VOICE, *Répertoire d'aide humanitaire 2000* [ONG humanitaires de l'Union européenne], Bruxelles, Voice, 2000.

- Weber O., *Les French Doctors*, Paris, Laffont, 1995.

Revues & brochures :

- *CEMOTI* (Cahiers d'Etudes sur la Méditerranée Orientale et le Monde turco-iranien), Paris, AFEMOTI, Dossier : La question humanitaire, Fin de siècle ou fin de cycle ?, n° 29, janvier/juin 2000.
- ICRC, Genève, ICRC [CICR], Forum: War, money and survival, 2000.
- *Le Débat*, Paris, Gallimard, séries d'articles, Des usages de l'humanitaire, n° 84, mars-avril 1995.
- Plate-forme française des ONG, MDM, URD, Paris, Actes du colloque : Crises durables, crises oubliées : défis humanitaires, enjeux européens, juillet 2001.
- *Revue Mouvement*, Paris, La Découverte, L'action humanitaire, novembre 2000.
- RQH, Bruxelles, *Forum Europe*, P. Hazan, L'affaire du diamant rouge n° 11, automne 2000.

Sites Internet

- **Action Contre la Faim** (ACF) : www.acf-fr.org
- **Campagne Internationale pour l'Interdiction des Mines Antipersonnel** : www.icbl.org
- **CARE :** www.care.org/
- **CICR** [présence de la Croix-Rouge dans le monde, histoire, rôle, mandat, actualité, explication des activité par pays] : www.irc.org/icrnouv/
- **Coordination Sud** [Coordination centrale des ONG françaises de solidarité internationale] : www.coordinationsud.org
- **ECHO :** www.cec.lu/en/comm/echo.htm/
- **EUROPEAID** [Agence d'aide extérieure de la Commission européenne] www.europa.eu.int/comm/europeaid/index.fr.htm
- **FICR :** www.ifrc.org
- **Fondation Reuters** pour l'information et la communication de la communauté des organisations d'aide d'urgence : www.alertnet.org
- **Handicap International** : **www.handicap-international**
- **HCCI :** www.cooperation-internationale.gouv.fr
- **HCR :** www.unhcr.ch/
- **InterAction** [Coordination centrale des ONG américaines] : www.interaction.org
- **Médecins Sans Frontières** (MSF) : www.paris.msf.org
- **Médecins du Monde** (MDM) : www.medecinsdumonde.ong
- **Ministère des Affaires étrangères France :** www.France.diplomatie.fr
- **NGLS** [Service de liaison avec les ONG des Nations Unies] : www.ngls.tad.ch
- **OCHA :** www.reliefweb.int
- **ONU :**
  - Ensemble des sites UN : www.un.org
  - Forum civil du millénaire : www.milleniumforum.org
- **OXFAM :** www.oxfam.org.uk
- **Première urgence :** www.premiere-urgence.org
- **Projet Sphere :** www.sphereproject.org/handbook/index.htm
- **RQH** (Revue des Questions Humanitaires) : www.humanitarian/review.org
- **USAID** [Agence de Coopération des Etats-Unis] : www.info.usaid.gov
- **URD** [Urgence, Réhabilitation, Développement] : www.urd.org
- **VOICE :** www.oneworld.org/voice

Rappel des références des textes reproduits

■ *Actes du colloque ETIKUMA 99*, Les codes de conduite : référence éthique et gage d'efficacité pour les actions humanitaires internationales du IIIe millénaire ?, *Lyon, et Paris, DESS développement et coopération et Bioforce, 2000, pp. 43-44 et 175-177.*

Anning (Majella). – *« OXFAM : une remise en question bénéfique ».* Revue des questions humanitaires, *Bruxelles, 1998, pp. 42-44.*

Backmann (René), Brauman (Rony). – Les médias et l'humanitaire : éthique de l'information ou charité spectacle, *Paris, CFPJ éditions, 1996, pp. 64-82.*

Becker (Annette). – Oubliés de la Grande Guerre. Humanitaire et culture de guerre 1914-1918. Populations occupées, déportés civils, prisonniers de guerre, *Paris, Editions Noêsis, 1998, pp. 181-190 et 255.*

Bettati (Mario), Biberson (Philippe), Bidegain (José), Mamou (Jacky), Mauricet (Thierry), Richardier (Jean-Baptiste), Rufin (Jean-Christophe). – *« Qu'est-ce que l'humanitaire ? ».* Le Monde, *Paris, 15 mai 1999.*

Brauman (Rony). – L'action humanitaire, *Paris, 2e édition, Flammarion, coll. « Dominos », 2000, pp. 9-11.*

Brunel (Sylvie). – *« Pour un humanitaire responsable », in* Géopolitique de la faim, *Paris, PUF, 2000, pp. 303-306.*

Deberdt (Jean-Patrick). – Guide des métiers de l'humanitaire, *Paris, Vuibert, 2001, pp. 41 et 51-53.*

Comité international de la Croix-Rouge. – Rapport d'activité 1999, *Genève, 2000.*

Fédération Internationale des Sociétés de la Croix-Rouge et du Croissant-Rouge. – Rapport d'activité 1999, *Genève, 2000.*

Fournier (Christophe), Livio (Caroline). – *« MSF : auprès de toutes les victimes de la guerre ».* Messages, *journal interne de MSF, Paris, n° 114, avril 2001, p. 5.*

Goemaere (Eric). – *« Une ONG au Ministère », in :* Utopies sanitaires, *Médecins sans frontières, sous la direction de Rony Brauman, Paris, Editions Le Pommier, 2000, pp. 237-241.*

Hamel (Annick). – *« Chronique d'un mauvais procès ».* Messages, *journal interne de Médecins sans frontières (MSF), Paris, n° 114, avril 2001, pp. 1-2.*

Haut Commissariat des Nations Unies pour les Réfugiés (HCR). – Les réfugiés dans le monde 2000, cinquante ans d'action humanitaire, *Paris, Editions Autrement, 2000, pp. 2-4, 166-167 et 285-286.*

Haut Conseil de la Coopération Internationale (HCCI). – Avis remis au Premier ministre : *« Crises, coopération et développement », Paris, 23 novembre 2000, pp. 21-35.*

Jacquemart (Bernard). – *« Humanitaire : le mot et les concepts en jeu »,* Revue Humanitaire, *Paris, n° 1, 2000, pp.49-63.*

Jean (François). – De l'inter-étatique au transnational, les acteurs non étatiques dans les conflits (l'exemple des organisations humanitaires internationales), coll. « Recherches et documents », *Paris, Fondation pour les études de Défense (FED) § CREST, n° 5, juin 1998, pp. 19-22.*

Kouchner (Bernard). – Le malheur des autres, *Paris, Editions Odile Jacob, 1999, pp. 109-121.*

Laroche (Josépha). – Politique internationale, *2e édition, Paris, LGDJ, 2000, pp. 146-147 et 154.*

Moore (Jonathan). – Des choix difficiles. Les dilemmes moraux de l'humanitaire, **sous la direction de Jonathan Moore**, *Paris, Gallimard, 1999, pp. 13-21.*

OCDE. – Les conflits, la paix et la coopération pour le développement à l'aube du XXIe siècle, *Paris, OCDE, 1998, pp. 50-56.*

Payet (Marc). – Logs. Les hommes-orchestres de l'humanitaire, *Paris, Editions Alternatives, 1996, pp. 13-15.*

■ Rapport d'activités 2000/2001 de l'association Médecins Sans Frontières, XXXe assemblée générale, *Vitry-sur-Seine, 9 et 10 juin 2001.*

Rufin (Jean-Christophe). – L'aventure humanitaire, *2e édition, Paris, Gallimard, coll. « Découvertes », 2001, pp. 29-36.*

Ryfman (Philippe). – La question humanitaire. Histoire, problématiques, acteurs et enjeux de l'aide humanitaire internationale. *Paris, Ellipses, 1999, pp. 34-37.*

Senarclens (Pierre de). – L'humanitaire en catastrophe, *Paris, Presses de Sciences Po, 1999, pp. 100-106.*

Siméant (Johanna). – *« Entrer, rester en humanitaire : des fondateurs de MSF aux membres actuels des ONG médicales françaises ».* Revue française de Sciences Politiques, *Paris, vol. 51, n° 1-2, février-avril 2001, pp. 68-69.*

Sommaruga (Cornélio). – *« Le droit international humanitaire au seuil du troisième millénaire : bilan et perspectives ».* Revue Internationale de la Croix Rouge, *Genève, vol. 81, n° 836, 1999, pp. 909-923.*

Tardy (Thierry). – *« Ingérence humanitaire et logique de puissance ».* Géoéconomie, *revue de l'Institut européen de Géoéconomie, n° 14, été 2000, pp. 96-100.*

Tousignant (Guy). – *« De l'assistance à la politique : l'itinéraire de Care International ». Propos recueillis par Rachel Johnson.* Revue des questions humanitaires, *Bruxelles printemps 1999, pp.46-49.*